純粋機械化経済 下

頭脳資本主義と日本の没落

井上智洋

nbb
日経ビジネス人文庫

The Pure Mechanized Economy_index

純粋機械化経済

もくじ

第4章 技術的失業と格差の経済理論
1 経済学はなぜ技術的失業を軽視するのか 2
2 現代経済学における技術的失業の扱い 16
3 雇用が生まれにくいAI時代に必要な経済政策とは 26
4 限界費用ゼロはなぜ格差を生むのか 36

第5章 新石器時代の大分岐
——人類史上最大の愚行はこうして始まった
1 ガンディーと産業革命 52
2 人類史上最大の過ちとは 56
3 自滅的な問題はなぜ引き起こされるのか 68
4 人々が繁栄にとり憑かれて経済成長は始まった 77

第6章 工業化時代の大分岐——なぜ中国ではなくイギリスで産業革命が起きたのか

1 大分岐論争 98
2 地理的条件が繁栄を決定づける 109
3 近世以降ヨーロッパが勃興したのはなぜか 126
4 中国が停滞したのはなぜか 142

第7章 AI時代の大分岐——爆発的な経済成長

1 なぜ中国が最初にテイクオフを果たすのか——デジタル・レーニン主義の行方 152
2 過去の三つの産業革命と経済成長率 179
3 AI時代に世界は再び分岐する 188
4 テイクオフに必要な需要側の政策とは 201

第8章 AI時代の国家の役割
——中枢を担うのは国家か、プラットフォーム企業か

1 1968年革命 212
2 なぜ今アナーキズムの時代なのか 228
3 未来の社会は
「不要階級」と「不老階級」に二極分化するのか 244
4 AI時代にソ連型社会主義は可能か 258
5 グーグルが通貨を発行してばらまく日 269

おわりに 300
Notes 304
参考文献 311

上巻目次

第1章　AI時代に日本は逆転できるか

1　ディープラーニングが知覚の扉を開いた
2　第四次産業革命
3　覇権を握るのはどの国か
4　頭脳資本主義と日本の衰退
5　AIがもたらすのはユートピアかディストピアか

第2章　人工知能はどこまで人間に近づけるか

1　ニューラルネットワークの隆盛を予見した哲学者たち
2　今の人工知能に何ができて何ができないか
3　人工知能に言葉の意味が理解できるか
4　人工知能に常識的な判断はできるか
5　人工知能にとっての感情と意識
6　汎用人工知能は実現可能か
7　神が死んだように人間も死ぬのか

第3章　人工知能は人々の仕事を奪うか

1　技術的失業の実際
2　アメリカにおける技術的失業
3　日本における技術的失業
4　人間並みの人工知能が出現したら仕事はなくなるか
5　未来の雇用と格差

Notes

第4章

The Pure Mechanized Economy_Chapter 4

技術的失業と格差の経済理論

人間の奴隷たちが最終的には信頼できないのであれば、機械製の奴隷が発明されなければならない。「人工知能」という聖杯の探求は、ゴーレム――大地の色の肌をし、内臓が砂でできている、強靭で忠実な奴隷――を求める、この欲望のあらわれである

――バーブルック&キャメロン『カリフォルニアン・イデオロギー』[1]

1 経済学はなぜ技術的失業を軽視するのか

経済学者は教条的!?

日本の学者で、AI失業の脅威を声高に唱えているのは、「東ロボプロジェクト」を率いていた新井紀子教授と私くらいのものだろう。新井教授は数学者なので、経済学者では私だけということになる。私は今、心地のよい孤独感を覚えている。

経済学者の多くは、AI失業の可能性について否定的に論じているか、あるいは何も論じていない。それはそもそも、経済学の歴史の中で長らく、技術的失業は取るに

足らぬ問題として扱われてきたからだ。だが、工業社会で見出されてきたこれまでの経済法則が、そっくりそのまま情報社会に当てはまるとは限らない。

経済学者は、恐らく他の学者よりも教科書に書いてあることを信じ込みやすく、伝統的な教義にしがみつきやすい。イギリスの経済学者ジョン・メイナード・ケインズは、

この世で一番むずかしいのは新しい考えを受け入れることではなく、古い考えを忘れることだ

――ケインズ『雇用、利子および貨幣の一般理論』[2]

あるいは、

経済哲学および政治哲学の分野では、25歳ないし30歳以後になって新しい理論の影響を受ける人は多くはなく、したがって官僚や政治家やさらには扇動家でさえも、現在の事態に適用する思想はおそらく最新のものではない

――ケインズ『雇用、利子および貨幣の一般理論』[3]

ジョン・メイナード・ケインズ
John Maynard Keynes (1883-1946)
20世紀イギリスの経済学者。『雇用、利子および貨幣の一般理論』によって経済学に革命をもたらした（©PPS通信社）

などと述べている。

ケインズは供給ではなく需要こそが一国のＧＤＰを決定づけると主張して、既存の経済学の転覆を図った。後にケインズ革命と呼ばれることになる経済学の歴史上最大の革命を、年輩の経済学者は受け入れることができなかった。

とはいうものの、ＡＩ失業がこれまでの技術的失業と全く同質の問題であるか、あるいはこれまでとは質的にも異なる大きな問題となるかは、未来のことなので確証的なことは誰にも言えない。それゆえ、この件に関して伝統的な教義にしがみついたとしても、それが間違った態度であると決まったわけではない。

ただ、経済学の主要な教義の中には、さしたる根拠もなくいつのまにやら、多くの経済学者がいたずらに信じるに至ったものがある。失業に関する理論がまさにそれに当てはまる。本章ではその点を掘り下げていくとともに、そうした教義から逸脱した私なりの考えを示したい。

なお、本章は経済学の知識をある程度持っている読者に向けている。持っていない読者は、読み飛ばすか、一度ミクロ経済学とマクロ経済学の教科書を読んでから臨んで欲しい。

古典派経済学における技術的失業

1930年頃、ケインズは「わが孫たちのための経済的可能性」というエッセイで技術的失業について以下のように予言している。

> **われわれは一つの新しい病気に苦しめられつつある。一部の読者諸君はまだ一度もその病名を聞いたことがないかも知れないが、今後は大いにしばしば聞くことだろう。それは技術的失業（technological unemployment）である**
>
> **——ケインズ**「わが孫たちのための経済的可能性」[4]

ところが、その後も人々はさしてこの病名を聞かされることがなかった。ケインズがこう述べてからほどなくして、世界大恐慌が多くの失業者を生み出し始め、技術的失業どころではなくなったからだ。

さらに、大恐慌からの回復の後に勃発した第二次世界大戦は、各国に完全雇用に近い状態をもたらし、終戦後の１９５０年代、60年代に資本主義は黄金時代を迎える。

現在の経済学の教義が整えられたのは、ちょうどこの時代だ。それゆえ、技術的失業はほとんどの教科書では扱われていない。機械がもたらす失業の問題が経済学者の間で熱心に論じられていたのは、それよりもずっと前、19世紀のことだ。

イギリスの経済学者トマス・ロバート・マルサスは、１８２０年に出版した『経済学原理』（岩波書店）で、

> **機械を応用した貨物が、それが低廉になるにつれてその消費が拡大しうるというような性質をもたないときには、それからえられる富の増大はそんなに大きなものでもまた確実なものでもない**
>
> **――マルサス『経済学原理』**[5]

と述べている。

機械によって生産した貨物（商品のこと）が安くなったからといって、それが消費需要の増大を促すとは限らず、ＧＤＰの増大につながるとも限らないというのであ

る。

われわれが、いま用いられている労働の三分の一で、現在用いている貨物を機械で獲得しうるとすれば、休息資本の大部分が有利に用いられうるということを、または解雇された労働者の大部分が国民生産物の相当な分けまえをみいだしうるということが、かりにもありうるであろうか？

――マルサス『経済学原理』6

新しい機械の導入によって労働者の数が3分の1で済むようになり、浮いたお金で経営者が他のビジネスを始めたところで、仕事を失った労働者がまるまる雇用されるなんてことがあるだろうか、と疑義を呈している。

マルサス自身の答えはもちろんノーである。だが、マルサスの論敵で同じくイギリスの経済学者であるデヴィッド・リカードは、「わたしはそうだと答える」とマルサスの『経済学原理』に注釈をつけている。

リカードは、主著『経済学及び課税の原理』（東京大学出版会）の第二版出版時までは、技術的失業を起こり得ないものと記していた。ところが、第三版ではそれまでの考えを翻している。

機械の発明と使用は総収益の減少を伴うことがありうる。それがある時にはいつでも、これは労働階級にとって有害である、けだし彼らの数の中若干は失業させられ、人口はそれを雇用する筈の基金と比べて、過剰になる

――リカード『経済学及び課税の原理』[7]

機械の導入によって企業の利益が減り、労働者を雇用するための資金が十分でなくなり、失業が生じるというわけだ。ただし、リカードはなおも技術的失業を一時的な問題にすぎないと考えた。

機械の発明によって最初に失われた総収入よりもはるかに大きな基金を間もなく創造するにちがいないのであり、そうなった時には、労働需要が以前と同じ大きさになるだろう

――リカード『経済学及び課税の原理』[8]

機械の導入によって労働需要が一時的に減少することがあったとしても、長期的には元の水準に戻ると言っているのである。

リカードは、資本を固定資本（機械を購入するための資金）と流動資本（労働者を雇用するための資金）に分けたうえで、流動資本に応じて雇用が増大する経済を想定している。この場合の資本というのは、資金の意味だ。

企業の資本全体が増大するに従って、固定資本は増大し機械の台数も増えていく。それに対し、流動資本は比例的には増大せず、労働需要の増大幅は低下していく。だが、労働需要の増大幅が低下するにしても、増大が持続するならば、いつか失業は解消されることになる。こうしたリカード理論における雇用量の決定メカニズムは、ケインズ理論のものとは大きく異なっている。

リカード理論では、流動資本（労働者を雇用するための資金）が雇用量を決定づける。それに対し、ケインズ理論では、財に対する需要（有効需要）が雇用量を決定づけてから、総賃金（流動資本）が定まる。

現在のマクロ経済学の教科書では、ケインズ理論が多くのページを占めている。ところが、多くのマクロ経済学者が、ケインズ理論は短期にしか適用できないものと決め込んでいる。長期的には有効需要不足が解消され、完全雇用が実現するものと想定している。

図4・1 GDPの推移と長期トレンド

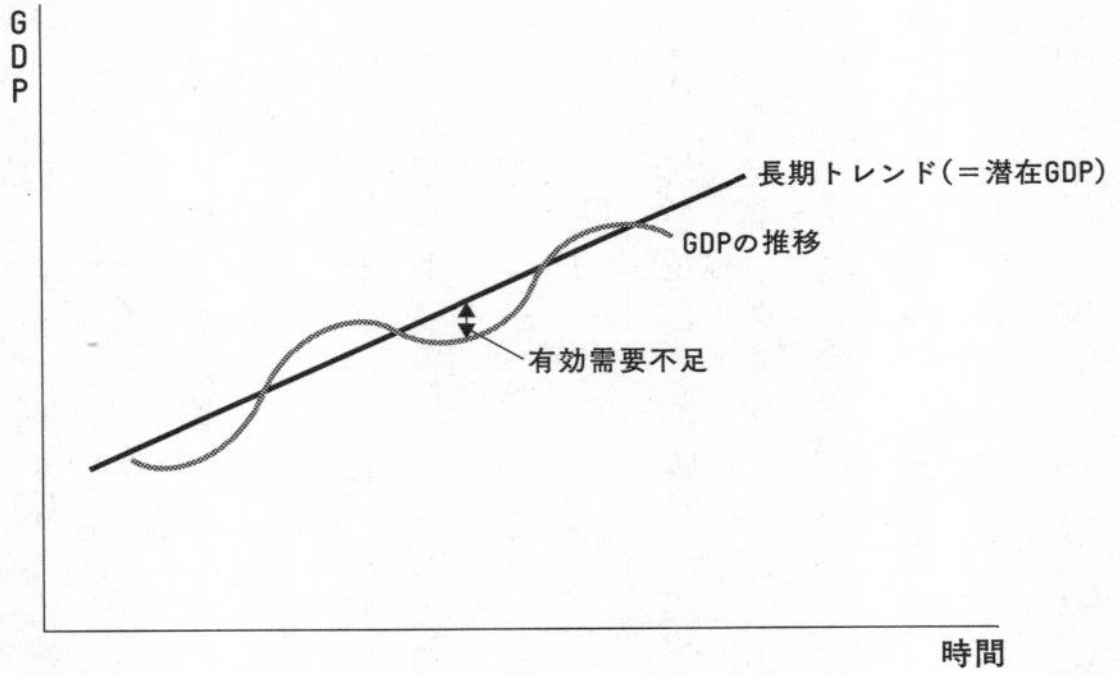

出所：筆者作成

この想定は、長期的な技術的失業が生じ得ないと述べたリカードの主張と整合的だ。それに対し、私は長期的な有効需要不足も、長期的な技術的失業もあり得ると考えている。

図4・1は、主流派マクロ経済学の基本的な世界観を示している。横軸は時間で縦軸はGDPであり、グラフは蛇行しながらも長期トレンドとしては右肩上がりとなっている。

潜在GDPというのは、とりあえずここでは完全雇用水準のGDPと考えてもらいたい。長期トレンドのGDPは通常、潜在GDPの水準にあると考えられている。

GDPのグラフが潜在GDPから下に

図4・2　潜在GDPと長期トレンドの乖離

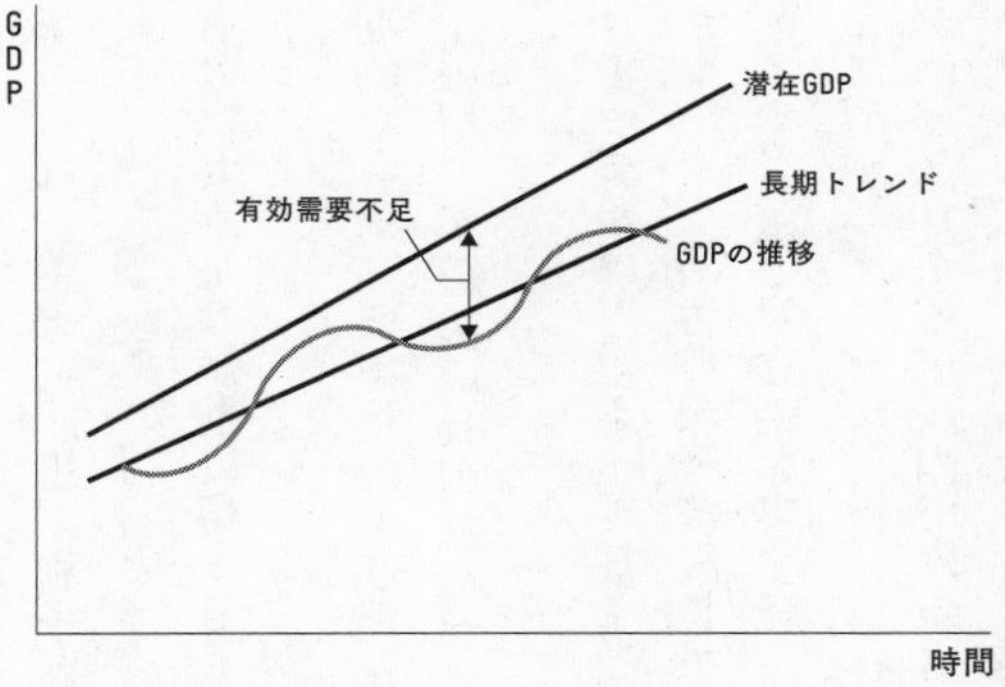

出所：筆者作成

逸脱しているのは、その分、有効需要不足が発生し、失業が生じていることを意味する。経済が常に図4・1の通りであれば、有効需要不足もそれによる失業も、放っておけばそのうち解消される短期的な問題にすぎないことになる。

ところが、日本の失われた20年の期間には、図4・2のような事態が発生した。長期トレンドが潜在GDPから乖離し続け、有効需要不足と失業が常態化していたのである。

マクロ経済学のセントラル・ドグマ

長期的な有効需要不足や失業があり得ないという見解は、主流派マクロ経済学の言わばセントラル・ドグマ（中心教義）だ。このドグマは宗教的な信仰のようなものであって、理論的に証明されたことでもなければ、実証的に確かめられたことでもない。

ケインズは、主著『雇用、利子および貨幣の一般理論』（岩波書店）で長期的な有効需要不足や失業があり得ると述べている。にもかかわらず、今となっては、ケインズも有効需要不足は短期に留まるものと考えていたと多くの経済学者が思い違いしている。

長期的な有効需要不足があり得ないと考えられるようになったきっかけの一つは、ソローモデルが経済成長理論における支配的な地位を占めるようになったことにある。

ソローモデルは、ノーベル賞を受賞した経済学者ロバート・ソローが１９５６年に示したもので、新古典派経済成長モデルの一種と見なされている。新古典派というのは、ケインズ派と対立軸を成す経済学の学派で、失業は存在しないと主張したがる傾向にある。

確かに、ソローモデル内では新古典派的な設定が行われており、常に完全雇用が成り立っているという意味でも新古典派的である。ただし、ソローははじめから完全雇用を前提としているのであって、完全雇用を証明したわけではない。[9] ソロー自身は新古典派ではなく自称ケインズ派であり、長期的な有効需要不足や失業があり得るとすら主張している。

今や、そんな主張はマクロ経済学者であっても、ほとんど誰も覚えていないか、はなから知らないかのどちらかで、ケインズの理論と同様の誤解がまかり通っている。

上に分析してきたところは、もっぱら鋳貨の新古典派的側面である。なかんずくそれは均衡条件と、摩擦のない競争的因果体系との二つながらの面で、完全雇用の経済学にほかならず、現代ケインズ派の所得分析に含まれてくる種々の困難や硬直性はいっさいこれを捨象している。が、そうかといって、それらの諸問題は存在しないとか長期的にはそれらは無意味だとかいうのは筆者の真意ではない

――ソロー『資本 成長 技術進歩』[10]

ロバート・ソロー
Robert Merton Solow（1924-）
20世紀アメリカの経済学者。経済成長に関する研究によって1987年にノーベル経済学賞を受賞した（©AP／アフロ）

ソローは話の単純化のために完全雇用を前提とした成長モデルを展開した

にすぎない。それにもかかわらず、このモデルが広く受容されていくにつれて、ソローを新古典派の経済学者であると見なす錯誤が蔓延した。

それとともに、経済成長は長期的な現象であり、そのような現象を扱う際には有効需要不足や失業については無視していいと一般に考えられるようになった。

長期・短期分離フレームワーク

ハロッド・ドーマーモデルは、ケインズの直弟子にあたるイギリスの経済学者ロイ・ハロッドとアメリカのエブセイ・ドーマーが示した経済成長モデルである。

20年ほど前までは、有効需要不足や失業を考慮したこのハロッド・ドーマーモデルも、マクロ経済学の入門的な教科書で紹介されていた。だが、今ではほとんどの教科書で説明が省かれており、ソローモデルのみが取り扱われるようになっている。

現代のマクロ経済学の教科書は、「第I部：短期理論」「第II部：長期理論」などと大きく二つに分かれている。前者ではケインズのモデルなどに基づき有効需要不足や失業を扱い、後者では主にソローモデルに基づき技術進歩や経済成長を扱っている。

私はこのようなタイムスケールに応じた論じ方を長期・短期分離フレームワークと呼んで、大学院生の頃から執拗に批判してきた。このフレームワークに基づく限り、有効需要不足や失業は長期的な問題にならないので、くだんのセントラル・ドグマが正しい教義のように思いなされる。

ところが、長期・短期分離フレームワークの妥当性自体が、このセントラル・ドグマの正しさに依存している。つまり、有効需要不足や失業は長期的な問題でないと見なされるからこそ、有効需要不足や失業は短期理論のみで扱うというフレームワークがまかり通っているのである。これでは、互いを食い合うウロボロスのように、正しさの根っこは消え去ってしまうだろう。

このフレームワークではまた、技術進歩と失業が同じタイムスケール上に現れることがない。これでは、技術進歩と失業の関係を分析の対象にすることはできない。それゆえに、技術的失業がマクロ経済学の教科書で扱われることは、極めて稀となっている。

2 現代経済学における技術的失業の扱い

技術的失業が長期化する可能性

主流派の経済学であっても研究レベルでは、技術的失業が分析されることがあり、その多くがサーチモデルに基づいている。サーチというのは探索のことで、サーチモデルは取引相手や結婚相手、職を探すといった探索行為に関する経済学の理論モデルだ。

1990年代にアメリカでは、ITの導入がもたらす技術的失業が懸念されるようになり、この時期からアカデミックの分野では長らく忘れ去られていた技術的失業という問題が再び研究されるようになった。

ノーベル経済学賞受賞者であるデール・モーテンセンとクリストファー・ピサリデスのような著名な経済学者もまた、サーチモデルに基づいた技術的失業の研究を行っている。

ここでとりわけ注目すべきなのは、カナダの経済学者ピーター・ホーウィットの研究だ。ホーウィットは、主流派の「短期と長期を分ける古典的な二分法」[11]に批判的であり、「短期の循環と長期の成長を統一的に捉える」[12]べきだと主張している。

トレンドとサイクルを別々の関連のない現象とみなす古典的な二分法が誤解を生んでいる、と私は思っている。技術変化は総需要と同じような協調問題を起こし、技術変化への対応は新しい定常均衡への過渡的な問題などではなく、進歩していく社会にあって経済生活の恒久的な条件を決定していく問題である。私はシュムペーター（Schumpeter）的に［短期の循環と長期の成長を］統一的に捉えることで真実に一層近づくと思っている

――ホーウィット『新地平のマクロ経済学』[13]

ここでの「協調」とは、市場での取引を円滑にするための諸々の作用である。一般に新古典派経済学では、魚市場のせりを取り仕切るせり人のような「競売人《けいばいにん》」を仮構することによって、コストなしにそのような協調がなされると考える。

現実経済では多くの市場で競売人は存在しない。ペットボトルのお茶がどこへ行ってもだいたい140円前後で、市場は円滑に作用しているように見えるが、競売人が

実際に調整しているわけではない。

それにもかかわらず、熟練した競売人がいるかのようなモデルに基づいて論じるので、新古典派経済学では協調問題、つまり協調の失敗は発生しないように見える。新古典派は、市場経済の欠陥を認めたがらない傾向のある経済学の学派だ。対するケインズ派は、市場経済には致命的な欠陥があって、政府は積極的にその欠陥を補わなければならないと考える。近年勢力を増しているケインズ派は特にニューケインジアンと言われており、彼らは価格粘着性のような協調問題に注目してきた。価格粘着性というのは、価格が瞬時には変化せず、そのような変化には時間が掛かるということだ。価格が変化すると、市場経済は自律的な調整作用が働くことになる。

イギリスの経済学者アーサー・ピグーは、市場経済では自律的な調整作用が働くと述べており、その作用は今日、ピグー効果と呼ばれている。

ピグー効果は、需要が不足すると、商品の価格が下がって手持ちのお金でより多くのものが買えるようになるので、消費需要が増大するという効果だ。これは、貨幣経済の不均衡を調整する大変重要な働きと考えられるが、教科書であまり扱われていない。

100万円の貯金を持っている人がいたら、その人の名目貨幣残高は100万円だ。「実質貨幣残高＝名目貨幣残高／物価」という式が成り立ち、実質貨幣残高は持っているお金の実質的な価値を意味している。

ピグー効果は物価が下がることで実質貨幣残高が増大し消費需要が増大するような効果である。必ずしもピグー効果として明示されているわけではないが、価格に粘着性があるために需要を創出する効果が遅れて、短期的な需要不足や失業が生じるというのが、ニューケインジアンの基本的な立場だ。

しかしながらホーウィットは、ケインジアンが中心的に扱うべきなのは、価格粘着性ではなく、財市場や労働市場でのマッチングにコストが掛かることで生じるような協調問題だと考えている。そして、サーチモデルによって説明されるそのようなマッチングの問題は短期に限定されるわけではなく、長期にもまたたび発生するという。

機械がそれを操作する労働者の技能を必要としているとする。そうであれば、新しい機械の導入は、古い機械を操作していた労働者の解雇を促す可能性がある。

フランスの経済学者フィリップ・アギオンとホーウィット[14]は、サーチモデルに基づいてそのような分析を行い、技術進歩が速く経済成長が速いほど、長期（定常常態）

における失業率が高くなる可能性のあることを示している。[15]

とはいえ、長期にもまた失業が存在し、それが技術進歩によって増大する可能性があるというホーウィットの主張が、広く受け入れられているわけではない。サーチモデルが長期と短期の両方のモデルとして使用されているにしても、長期・短期分離フレームワークは全く揺らぐことなく支配的なフレームワークであり続けている。

ホーウィットもまた、有効需要不足が長期にすら生じるという可能性について論じていないので、短期と長期を分ける古典的な二分法は確固たる地位を占めたままだ。

ポストケインジアンとは何か?

一方で、長期・短期分離フレームワークをはなから採用しないポストケインジアンのような学派もある。このフレームワークを採用しなければ、技術進歩と失業そして有効需要不足は常に交差する可能性を持つ。

ポストケインジアンは、ケインズが属していたケンブリッジ大学を牙城にした経済学者の集まりで、イギリスのジョーン・ロビンソンやイタリアのピエロ・スラッファ、アメリカのハイマン・ミンスキーなどがいる。

ミンスキーは、金融市場の不安定性を理論化したので、リーマンショック以降ウォ

図4・3　経済学における右派と左派

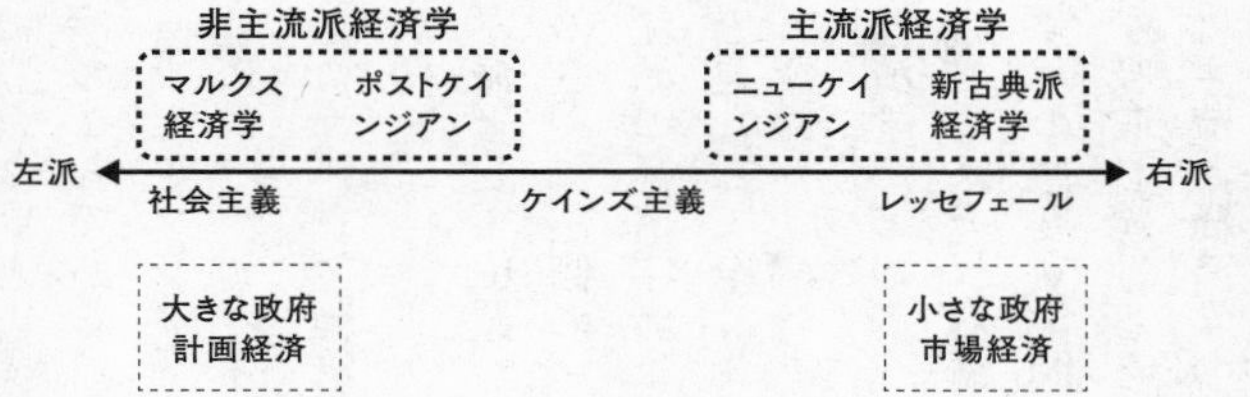

出所：筆者作成

ール街でも注目されるようになった著名な経済学者だ。ただし、ポストケインジアンは全体として往年に比べるとかなり力を失っており、若い経済学者の中にはその存在すら知らない者も多い。

ニューケインジアンは、ポストケインジアンと字面は似ているが、かなり内実の異なるグループだ。ニューケインジアンに属するグレゴリー・マンキューやデヴィッド・ローマーは、経済学の教科書を著しているので、世界的にかなり名が知られている。

ニューケインジアンの用いる分析道具は、ポストケインジアンとはかなり異なっており、どちらかというと新古典派に近い。それゆえ、図4・3のようにニューケインジアンと新古典派の双方が主流派と分類されるべきであり、ポストケインジアンはマルクス経済学とともに非主流派と位置づけられるべきだろう。

非主流派といっても、私はこの言葉に正しくないとか役に立たないといった価値判断を含ませていない。ただ単にマイノリティを意味するだけのことである。

ニューケインジアンは、新古典派ほどではないにせよ資本主義に肯定的だ。それに対し、ポストケインジアンは、自分たちこそケインズの直系と見なしているが、それとともにマルクス経済学も部分的に取り入れており、資本主義には否定的である。

それゆえ、ニューケインジアンをケインズ右派として、ポストケインジアンをケインズ左派として位置づけることもできるだろう。図4・3のように、ポストケインジアンのさらに左側にマルクス経済学がある。

主流派の経済学者は、ポストケインジアンの経済学をマルクス経済学同様にナンセンスと見なして全く相手にしないか、その存在すら知らないかのどちらかだ。

一方、ポストケインジアンは主流派経済学の打倒を目指している割には、現在の主流派経済学がどのようなものであるかを深く学ぼうとしていない。両者は別々の学会を開いてそれぞれ内輪で議論をしているだけである。

いずれの態度も学問的誠実さが欠けている。いかなる党派性にもくみせず、貪欲に知識を吸収し続けるということこそが、あるべき学者の姿勢ではないだろうか。

私は主流派経済学の長期・短期分離フレームワークに批判的であり、長期的な有効需要不足や失業があり得ないというセントラル・ドグマを間違いと見なしている。

だからといって、主流派経済学そのものを打倒しようなどという気は毛頭ないし、ポストケインジアンの方が優れたフレームワークを提示していると思っているわけでもない。

そうではあるが、以下で紹介するポストケインジアンの経済学者パシネッティの技術的失業に関する理論は、現実経済のダイナミズムをかなりの程度的確に説明し得るものとして高く評価している。党派性にこだわる必要はないし、こだわるべきでもないのである。

需要創造的な技術進歩が失業を減らす

スラッファ理論の継承者でもあるイタリアのルイジ・パシネッティは『構造変化の経済動学』(日本経済評論社)で、「労働節約的な技術進歩」が有効需要不足による失業を生じさせると言っている。例えば、自動車産業で、1台の自動車を作るのに3人の人手が必要だったのに、新しい機械を導入したことにより、2人で済むようになったとする。

この時、人手が掛からなくなったことで価格が安くなり、自動車の需要が1・5倍に増えれば、3人の雇用は維持される。だが、自動車の需要が全く増大しなければ、3人のうち1人は失業するか、少なくとも社内失業状態に置かれてしまう。

ところが、多くの財に関して言えることだが、いずれ価格が低くなってもそれほど需要が増大しなくなる。このことを経済学では「需要の価格弾力性が低くなる」と表現する。

需要の価格弾力性がゼロに近くなることもある。テレビでも電話でも、普及率が100%に迫ると消費需要は飽和を迎えるが、それは需要の価格弾力性がゼロに近くなった状態だ。今や、固定電話であれ携帯電話であれ、価格が半額になったからといって、2台目を買い入れる人はあまりいない。

需要の価格弾力性というのは、主流派経済学の用語であり、パシネッティは用いていないが、結果的に消費需要が飽和を迎えるということには変わりない。

飽和した後は、労働節約的な技術進歩は、確実にその業種における雇用の減少をもたらすようになる。もし、あらゆる業種で労働節約的な技術進歩が進行しているならば、一国の経済全体で絶えず雇用が減少していくことになる。そうすると、労働塊という考えは誤謬ではなく真実ということになるだろう。

このようにして生じる技術的失業は、摩擦的失業（労働移動の際に生じる失業）でもなく、ミスマッチ失業（求人と求職の条件が合わないために生じる失業）でもなく、有効需要不足による失業だ。職探しに時間が掛かっているわけでもなく、求められているスキルを身に付ければ職にありつけるというわけでもない。完全雇用を実現するには、政府は公共事業を行うなどして有効需要を増大させ雇用を増やす必要がある。

ところが、現実にはあらゆる財に関してあらゆる人の消費需要が飽和を迎えるというようなことは起きていない。好きなだけ、すきやばし次郎のような高級寿司を食べに行けるお金持ちはほんの一部だろう。高級寿司については、そもそも労働節約的な技術進歩が起きていないのでその価格が下がることもない。

ただし、パシネッティが注目したのは、労働が節約されていくことがない高級寿司のような財というよりも、財の種類を増大させる需要創造的な技術進歩だ。新しい種類の消費財が生み出されると、その財における需要の価格弾力性が低下するまでには、いくらかの時間を要するので、その間は雇用が増大し続けるだろう。そうであれば、新しい種類の消費財を続々と生み出せば失業は順調に減少していくということになる。

例えば、最近はストレッチの教室が駅前などにあるが、10年前にはほとんどなかった。つまり、ストレッチを施すサービスという新しい種類の消費財が、生み出されたのである。

そうすると、ストレッチのインストラクターという新たな雇用が生み出されるので、自動車産業などで雇用が減少していたとしても、経済全体としては雇用が減らないばかりか増える可能性すらある。

このように、パシネッティは、労働節約的な技術進歩と需要創造的な技術進歩のせめぎ合いをモデル化した。前者のスピードがより速ければ雇用が減少し、後者のスピードがより速ければ雇用が増大するというわけだ。

3 雇用が生まれにくいＡＩ時代に必要な経済政策とは

ＩＴは雇用を生まない

ＩＴに関して現実に起きていることを考えると、話はもっと複雑だ。スマホは基本的には消費財であるが、仕事で使う限りでは投資財であり労働節約的な効果を持つ。極端な話、スマホを使うことによって1人の仕事の効率性が2倍に上がったら、雇用の方は半分で済むかもしれない。スマホという新しい財の出現は、雇用を減少させる効果も持っているのである。

店舗でスマホの販売を手掛けるスタッフも含めて考えると、恐らく雇用を減少させる効果よりも、雇用を増大させる効果の方が大きかっただろう。ただし、それはスマホがハードウェアであって、ソフトウェアではないからだ。

ソフトウェアが提供するサービスはどうだろうか。アマゾンや楽天などのECサイトや楽天トラベルのような旅行サイトは、実店舗の小売店や旅行代理店を代替する効果が大きいので、雇用を減少させる効果をより大きくもたらすだろう。

アマゾンのシステムとその社員は補完的だが、そのシステムと実店舗の書店員は代替的なので書店員の雇用は減少することになる。

「起業することで新たな雇用を創出する」という言い方があるが、起業したからといって、経済全体の雇用を増大させているとは限らない。ITベンチャーに関して言えば、むしろ雇用を減少させている場合が多々ある。

フェイスブックやツイッターなどのSNSは、新しい種類の消費財を提供していると言えるだろう。これは既存のサービスを代替するものではなく、また多少業務の効率化に役立つ面もあるが、基本的には暇潰しの道具だ。

暇潰しというのは悪い意味で言っているわけではない。むしろ、役に立つもの、生産を効率化させるものこそが雇用の敵になり得る。それゆえにＳＮＳにおいては雇用を増大させる効果が支配的と考えられる。

それでも、ＩＴが雇用にとって問題なのは、大した雇用を生まないからだ。ソフトウェアは何の労力も掛けずにただでコピーできる。経済学では、これを限界費用ゼロという。

限界費用というのは、生産量を増やす際に追加的に掛かる費用のことだ。限界は、"marginal"という英語の訳であり、経済学では追加的という意味で用いている。自動車を既に10台作っていて、11台目を作ろうとする時、材料費や働く人々の賃金など追加的にコストが掛かることは言うまでもない。限界費用はゼロではないのである。

ところが、電子書籍の場合、既に10人に電子書籍を販売していて、新たに11人目に電子書籍を販売しても、追加的なコストはほぼゼロである。デジタルデータのコピーにはお金が掛からないからだ。

パソコンで作動するソフトウェア、スマホのアプリ、音楽や映画などのデジタルデータの限界費用は、すべてゼロとなる。

フェイスブックやグーグルなどのサイトも、利用者が1人増えたところでコストはほとんど増大しない。限界費用ゼロというのが、IT産業の重要な特徴であり、それは雇用にとって大きな意味を持つ。

自動車産業では、生産する自動車の数が増えれば増えるほど必要な労働者の数は増大していく。それに対して、IT産業では、利用者の数の増大は必要な労働者の数の増大をほとんどもたらさない。

それゆえに、IT産業は比較的労働者の頭数を必要とせず、雇用を創出しない。GMの社員が22万人であるのに対して、グーグルの社員は5万人足らずだが、後者の時価総額は前者の10倍以上だ。

IT産業では、追加的に生産する際にはそれほどコストが掛からない一方で、最初の一つを作るには多大な労力を必要とする。ソフトウェアを一つ作るのは、私も経験があるが大変な作業だ。だが、一つ作ってしまえば後はいくらでもただでコピーできる。

それゆえに前章で見たように、事務職を中心にITによる労働節約的な技術進歩が生じている今、そうして生じた余剰人員は、IT産業自身によっては十分吸収されることがなく、むしろ旧産業によって吸収されている。

それは一般に抱かされている雇用のダイナミズムとは異なっているし、パシネッティの理論からも逸脱している。パシネッティの理論は、工業社会にはよく当てはまっていたが、情報社会では新しい財の創出が雇用をさほど生み出さないという点で、当てはまらなくなってきた。

労働市場の二極化との関係

前章で、労働市場で起きている二極化について説明したが、限界費用ゼロの問題とどう関係しているだろうか。

二極化を説明し得る経済モデルに、アメリカの労働経済学者デヴィッド・オーターらによって提唱されたタスクモデルがある。

オーターらは、様々な労働者が行っている作業（タスク）を定型作業（ルーチン）と非定型作業（ノンルーチン）に分けている。さらに、非定型作業を非定型分析作業と非定型手作業などに分けている。

定型作業は前章でいう事務労働に、非定型分析作業は知的労働に、非定型手作業は肉体労働に相当する。

ＩＴは定型作業を行う労働者と代替的であり、特にアメリカでは経理のような事務労働の雇用を減少させる一方、非定型分析作業とは補完的であるため、知的労働を増大させてきた。さらに、ＩＴとは関係なく清掃、介護、警備などの肉体労働が、そうしたサービスに対する需要の増大に応じて増大している。

ここで問題なのは、事務労働で生じた技術的失業者の多くを吸収し得るほど、知的労働が十分には増大しないということだった。ＩＴ産業が知識集約型であり、限界費用ゼロ産業だからである。

雇用が減少する経済で重要なのはマクロ経済政策

生産性の上昇が経済成長をもたらし、経済成長は雇用を増大させるなどと説明する経済学者やエコノミストは多い。

現実には、生産性の上昇は雇用を減少させる作用を持ち、この作用に抗う反作用として需要の増大がある。一つの職種や業種で、反作用が前者の作用をうまく相殺できない場合、余剰人員が生じて、労働移動が起こる。

その結果、経済全体としては需要が増大し経済も成長する。ただし、雇用は増大するのではなく、需要創出がうまくいった場合でも、元の水準に戻るだけだ。需要の増大は、余剰人員を吸収する程度に留まる。

主流派経済学では、長期的には完全雇用が前提とされる。私はそれは疑わしいと思っているが、多くの経済学者は頑なにそう信じている。短期的には完全雇用は損なわれるが、長期的には調整作用がうまく働いて失業は解消されるのである。

長期的にも完全雇用が保証されているわけではないのだとすると、長期的に雇用が減少するかどうかは、マクロ経済政策に依存する部分が大きい。

というのも、低賃金な肉体労働であるにせよ、一般的な労働者に残されている労働があるとすれば、需要を喚起するような政策によって、マクロ的に雇用を増大させることができるからだ。

それは、政府がダムや道路の建設といった公共事業に対する支出を増やす政策だけではなく、世の中に出回る貨幣の量、マネーサプライを増大させるといった政策も含まれる。

マネーサプライを増大させて、特に家計の保有する貨幣の残高を増やした場合、その支出もより増大することになる。貯金が１００万円しかなかった世帯が２００万円の貯蓄を得たならば、支出は2倍とまではいかないまでもより多くなることだろう。

そうして家計が、例えば介護サービスにより多く支出することになれば、それだけ介護部門でより多くの人が雇用されることになる。

先に、ある業種から他の業種への労働移動が生じる時でも、需要が増大しているはずだと述べた。公共事業によって雇用を増大させることはできるが、民間企業の活力を活性させるには、マネーサプライを増大させて、需要を増大させる必要がある。

パシネッティの理論において考慮されていないのは、ピグー効果によってもたらされるような市場の自動的な調整作用だ。主流派経済学では考慮されているそのような作用が、パシネッティのようなポストケインジアンの理論では軒並み排除されている。

私自身は、そのような作用が存在すると考えている。ところが、ピグー効果による需要不足解消を邪魔立てする要因がある。それは供給の絶えざる増大だ。

例えば、技術進歩によって常に供給が増大するような経済を想定してみよう。この場合、ピグー効果によって需要が増大しても、供給の方も増大するので、いつまで経っても需要は供給に追いつけないかもしれない。

しかし、このような経済であっても貨幣量を増大させるならば、「実質貨幣残高＝名目貨幣残高／物価」という式の名目貨幣残高が増大するので実質貨幣残高が増大し、需要を供給に追いつかせられる可能性がある。手持ちのお金が多くなってより多く消費需要を増やすからだ。

では、どれくらい貨幣量を増大させればいいのか。単純なモデルでは、技術進歩率と同程度に貨幣成長率を保つというのがその答えである。貨幣成長率というのは、貨幣量が増大する割合を意味している。

技術進歩率が1％とか2％とかプラスである時に、貨幣量が一定のままでは、長期において需要不足による失業とデフレ不況がもたらされる。少なくとも技術進歩率と同程度には、貨幣量を増大させなければ失業は解消されない。

この時、貨幣量が一定のままであれば、技術進歩率が高ければ高いほど長期における失業が増大する。このような技術進歩による失業もまた技術的失業だ。

前述したように、技術的失業は、主流派経済学で扱われることが少ないうえに、扱われたとしても有効需要不足の問題とは全く切り離されて論じられている。

ところが、実際に技術的失業を解消するには、需要を喚起するようなマクロ経済政策が欠かせない。ＩＴによってコールセンターや経理係の仕事を奪われた人が、無事に清掃員や介護の仕事に就くには、清掃や介護サービス分の需要が増大していなければならない。

どれだけ介護サービスに対する需要が増大するかは、家計の保有する貨幣量いかんで決定される。家族が介護を必要とする時、手持ちのお金が多ければ、価格が高くてもより充実したサービスを需要するし、お金が少なければさしたるサービスを需要することができない。

潜在的な需要があったとしても、先立つもの＝お金がなければ、実際の需要が顕在化することがなく、雇用を生み出すこともない。

特化型AIが進歩するならば、ゆるやかに雇用が減少していく可能性がある。だが、清掃や介護などの一般的な労働者が（訓練は必要だとしても）従事し得る仕事があるうちは、マクロ経済政策の拡充によって、雇用の減少を抑制することができる。ところが、汎用AIの出現は、一般的な労働者が従事し得る仕事をあらかた消滅させてしまう可能性がある。その時、マクロ経済政策を拡充させたとしても、クリエイティヴィティやマネジメント、ホスピタリティの面で、AIを上回るスキルを持った一部のスーパースター労働者の仕事が増えるだけで、一般的な労働者の仕事は増大しないかもしれない。

特化型AIの時代にはマクロ経済政策は有効だが、汎用AIの時代にマクロ経済政策は、失業を減少させる効果を持たなくなる可能性がある。

4 限界費用ゼロはなぜ格差を生むのか

限界費用ゼロと自然独占

汎用AIの出現が多くの雇用を消滅させてしまったとしても財の価格がゼロに近ければ、人々は賃金を得ることがなく、また、ベーシックインカム（BI）のような政府から給付を受ける制度がしつらえられていなくても、暮らしていけるだろう。ビットがアトムを支配する未来の社会は、果たしてそのようなユートピアになり得るだろうか。

アメリカの評論家ジェレミー・リフキンは『限界費用ゼロ社会』（NHK出版）で、あらゆる生産物の追加的な費用がゼロに近づくような社会の到来を予測した。

今のところ自動車のような実物財の追加的な生産にはコストが掛かるが、IT産業やコンテンツ産業は、既に限界費用ゼロ産業となっている。

リフキンは、限界費用ゼロ社会では多くの財が無料になり、企業は利潤を得ることができなくなると述べた。資本主義が衰退し、人々が財を共有する「コモンズ型経

図4・4　限界費用一定の経済の総費用

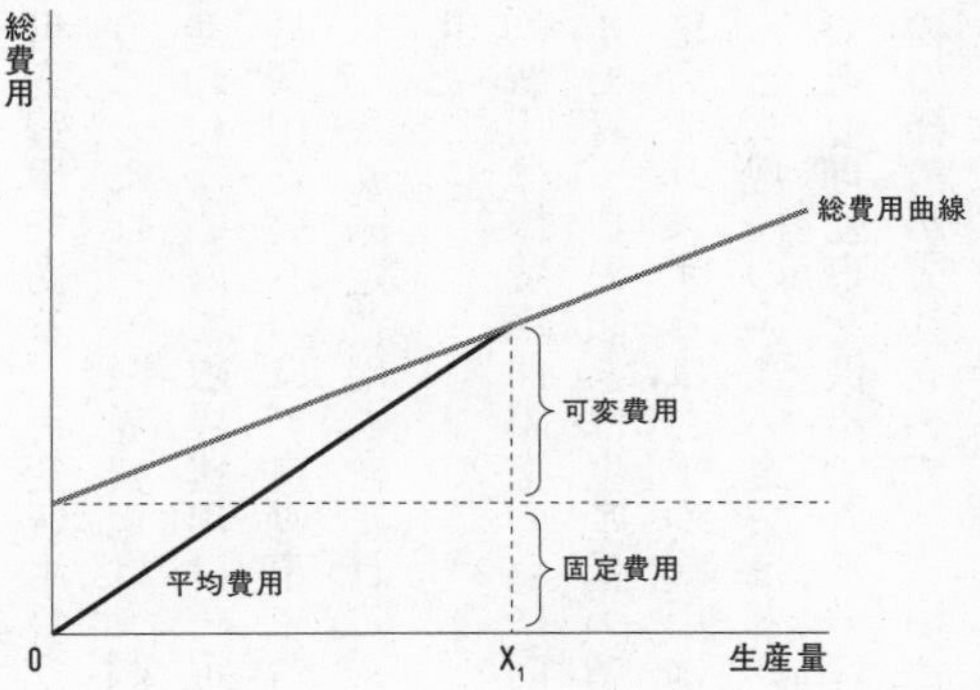

出所：筆者作成

済」が立ち現れるという。

だが、逆の結果をもたらす可能性があるし、既にIT産業やコンテンツ産業では逆の現象が現れている。というのも、限界費用ゼロの産業では独占が生じるからだ。

図4・4は横軸に自動車の生産量（生産台数）、縦軸に総費用をとっている。総費用のうち、生産量に関わりなく掛かる費用を固定費用、生産量に応じて掛かる費用を可変費用と呼ぶ。

自動車だったら、工場や機械は自動車の生産台数に関わりなく購入する必要があるので、その費用は固定費用に含まれる。自動車の設計に関わる費用は経済学ではあまり扱われないが、これも固定費用だ。

それに対し、自動車の生産台数に応じて増大する材料費や働く人々の賃金の合計が、可変費用である。可変費用のうち、1台追加するごとに増大する費用が限界費用ということになる。限界費用は、図4・4の直線の傾きによって表される。直線の傾きは変わらないので限界費用は一定だ。

平均費用というのは、自動車1台当たりに掛かる費用である。この費用には可変費用だけでなく固定費用も含まれる。つまり、総費用を自動車の台数で割ったものが平均費用だ。

平均費用は総費用曲線上の点に向けて、原点から伸ばした線の傾きで表される。図4・4では、この傾きは生産量が増大すればするほどゆるやかになる。つまり、生産量が増大すればするほど平均費用は減少する。

すると、規模の大きい企業ほど低いコストで自動車を作ることができるので、安い価格でその自動車を供給できる。こうした事態を、規模の経済という。

規模の経済が成り立っている場合、最も規模の大きい企業しか残らなくなり、一社の独占状態となる。このように、必然的に一社だけがある財を供給することになることを、自然独占という。

図4・5　限界費用が逓増する経済の総費用

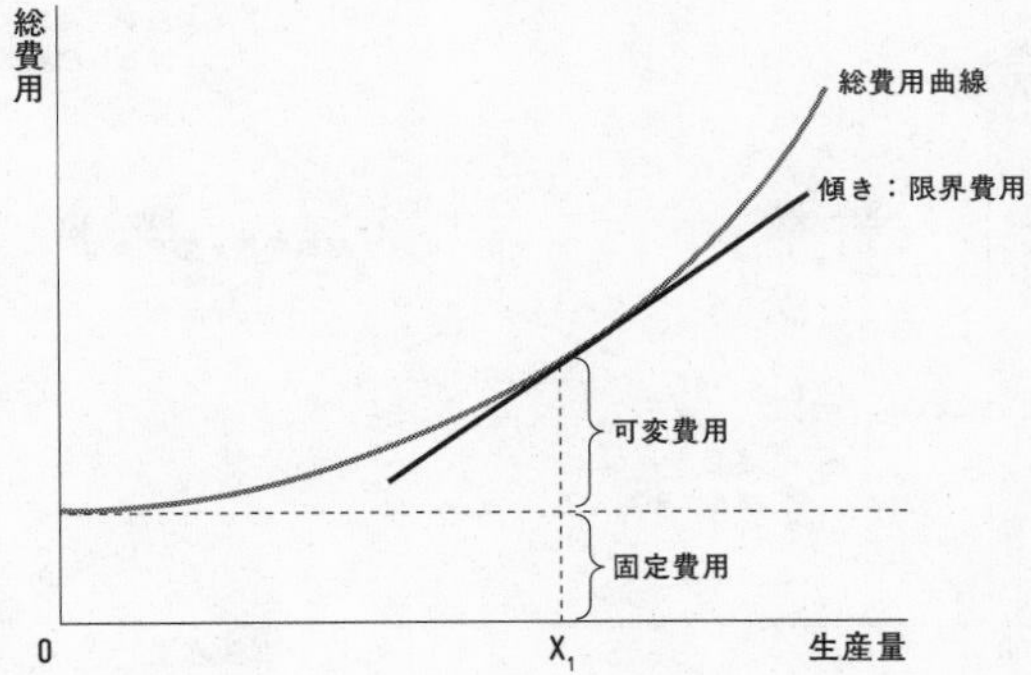

出所：筆者作成

一般的な経済学が想定しているのは、図4・5のような総費用曲線だ。限界費用はこの曲線の接線の傾きによって表される。

限界費用はプラスであるだけでなく、生産量の増大に応じて絶えず増大していく。このことを限界費用逓増《ていぞう》という。すると、生産量が図4・6のX_1より左側では平均費用は減少するが、X_1より右側では平均費用は増大していく。X_1では、グラフ上の点と原点を結ぶ線が接線となる。すなわち平均費用と限界費用が等しくなる。

X_1より右側の生産量で企業が競争している場合、規模の経済は成り立たず、小規模な企業が乱立することになる。こう

図4・6　平均費用が減少から増大に転じるケース

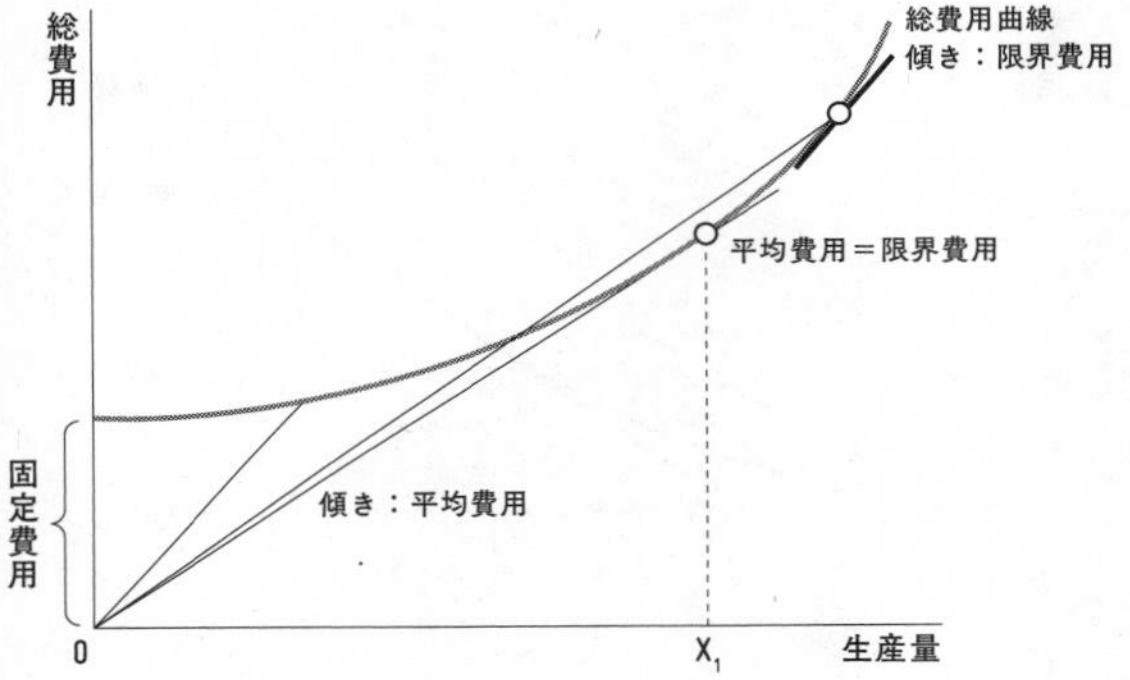

出所：筆者作成

した市場は、完全競争市場になり得る。

限界費用ゼロは独占を生む

実際の自動車産業が、図４・４のように限界費用一定なのか、図４・５のように限界費用逓増なのかはここでは問わない。重要なのは、ＩＴ産業では、図４・７のように総費用曲線はほぼ水平で、そのため限界費用（総費用曲線の傾き）がほとんどゼロであり一定であるということだ。

ＩＴ産業の中でも、ウィンドウズのようなオペレーティングシステム（ＯＳ）やアマゾンなどの巨大なシステムの固定費用は高い。それに対して、中小企業の経理システムやスマホアプリは、ＯＳに

図4・7　限界費用ゼロのケース

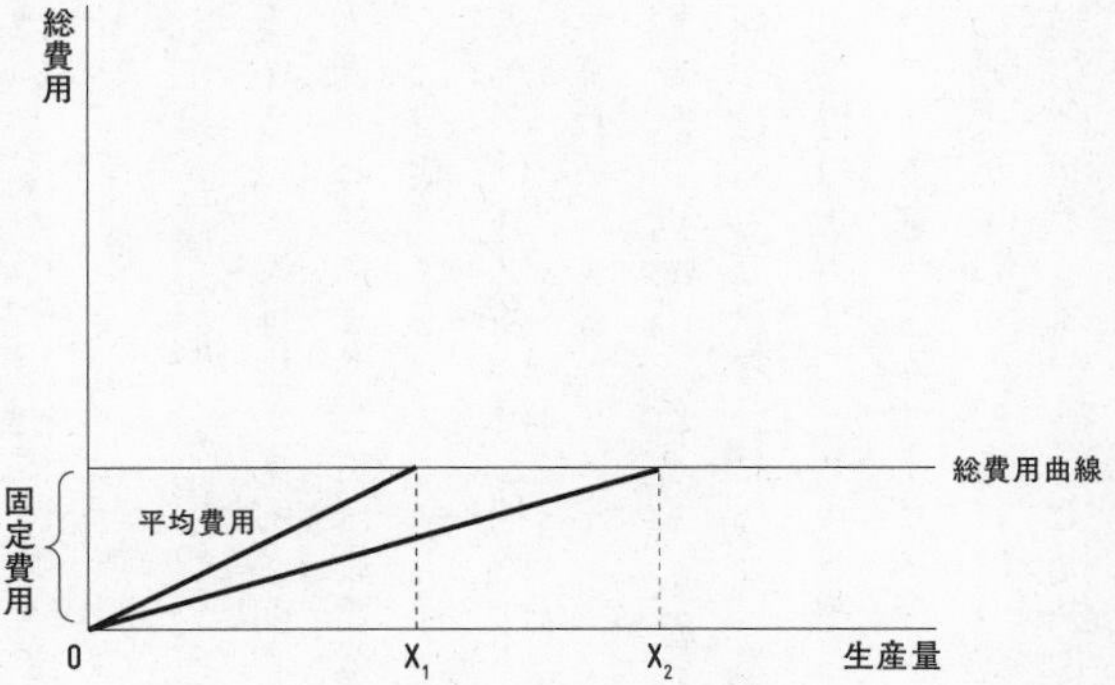

出所：筆者作成

比べれば固定費用が低い。だが、いずれであっても、限界費用はゼロに近い。限界費用ゼロ産業では、規模の経済が働き自然独占が成り立つ。実際、ＯＳや検索エンジンでは、一社独占ないし数社による寡占が成り立っている。検索エンジンはグーグルのほぼ独占状態であり、パソコンのＯＳはマイクロソフトとアップルによって寡占されている。

いずれにしても、図４・７で表されているようにＩＴ産業が限界費用ゼロだからといって、それは平均費用ゼロを意味しない（斜線の傾きはゼロにならない）。ただし、消費者が多くなるにつれて、平均費用はゼロである限界費用に漸近していく。その場合でも、自然独占が成り立つので、価格はむしろ引き上げられ、企業は高い利潤を得る。とはいうものの、現実にはフェイスブックのようなSNSやグーグルのような検索エンジン、ユーチューブなど無料のITサービスが多く提供されている。

それには、「広告収入が得られること」と「ネットワーク外部効果を狙っていること」という二つの理由がある。前者は説明の必要もないだろうが、後者はプラットフォームサービスによく当てはまる効果だ。

古くは電話やファックスがそうだが、ネットワーク外部効果の見られる分野では、利用者が多ければ多いほど利便性が上昇して、ますます利用者が増大するという好循環が生まれる。

極端な話、世の中に自分一人だけが電話を持っていても、かける相手がいないので、何の役にも立たないだろう。電話の所有者が多ければかける相手も多くなり、電話の利便性は上昇する。SNSやOSなどは、ネットワーク外部効果を生じさせるようなプラットフォームサービスだ。

この効果が生じるのであれば、先に市場を占有した企業に優位性が生じる。すなわち、当初はサービスを無料で提供して、先に市場を占有した企業が有利となる。そのため、多くのスマホアプリは無料で提供されており、より高度なサービスを望む利用者にのみ課金を施している。

限界費用ゼロは格差を生む

人が抱えている問題や欲望は無数なので、「天気を知らせるアプリ」や「ニュースをブラウジングするアプリ」といった幅広く利用されそうなものから、「ペットの顔と飼い主の顔を交換した写真を出力するアプリ」（顔交換アプリ）や「自分の身長を入力したらその身長に近い芸能人を教えてくれるアプリ」といったニッチなものまでスマホアプリは無際限に作り続けられている。

顔交換アプリは、ウィンドウズのようなＯＳに比べれば、かなり需要が少ないはずだ。理論的には、需要の多い財は図４・８のように需要曲線がなだらかになるので売り上げ（最適価格×最適生産量）は大きくなり、需要の少ない財は図４・９のように売り上げは小さくなる。

ソフトウェアにおける売り上げの分布もまた、図３・８のようにロングテール型になるだろう。つまり、売り上げの少ないソフトウェアはたくさんあって、ウィンドウズのような売り上げの多いソフトウェアはそれほど存在しない。したがって、ＩＴ産業では格差が大きくなる。

図4・8 需要の多い財を生産する独占企業の収入

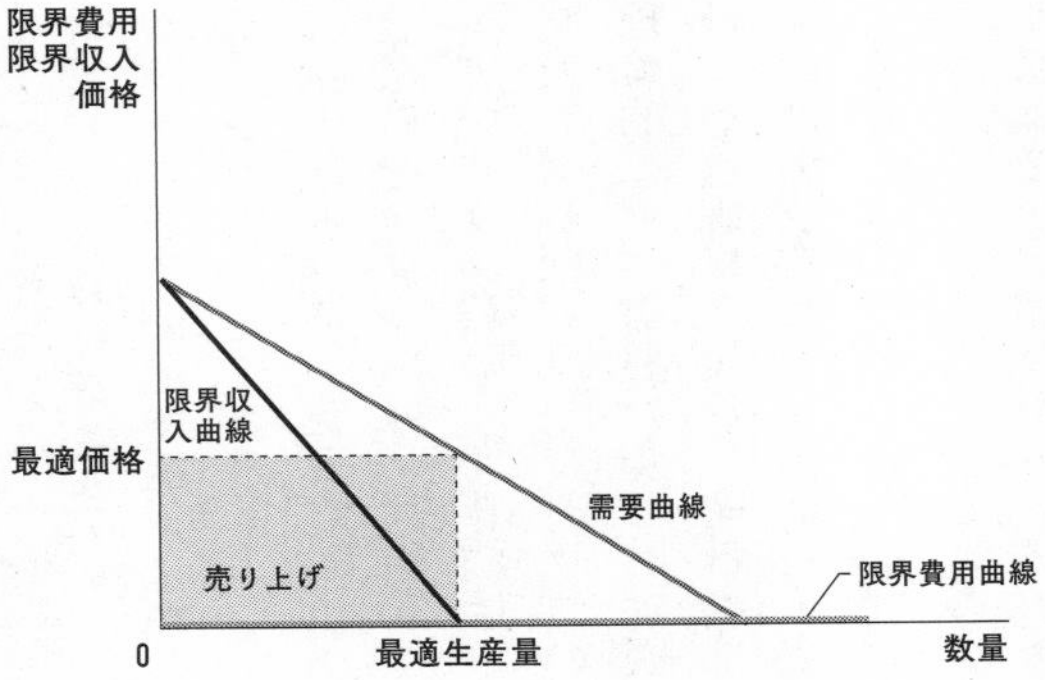

出所：筆者作成

図4・9 需要の少ない財を生産する独占企業の収入

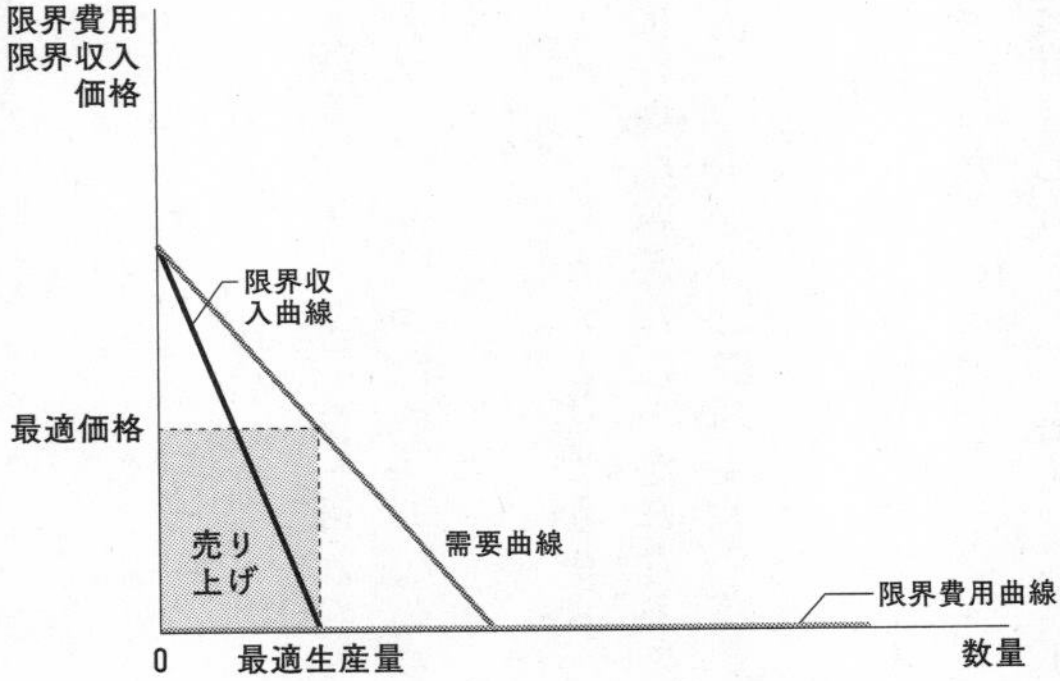

出所：筆者作成

図4・10　平均費用が最適価格よりも高いケース

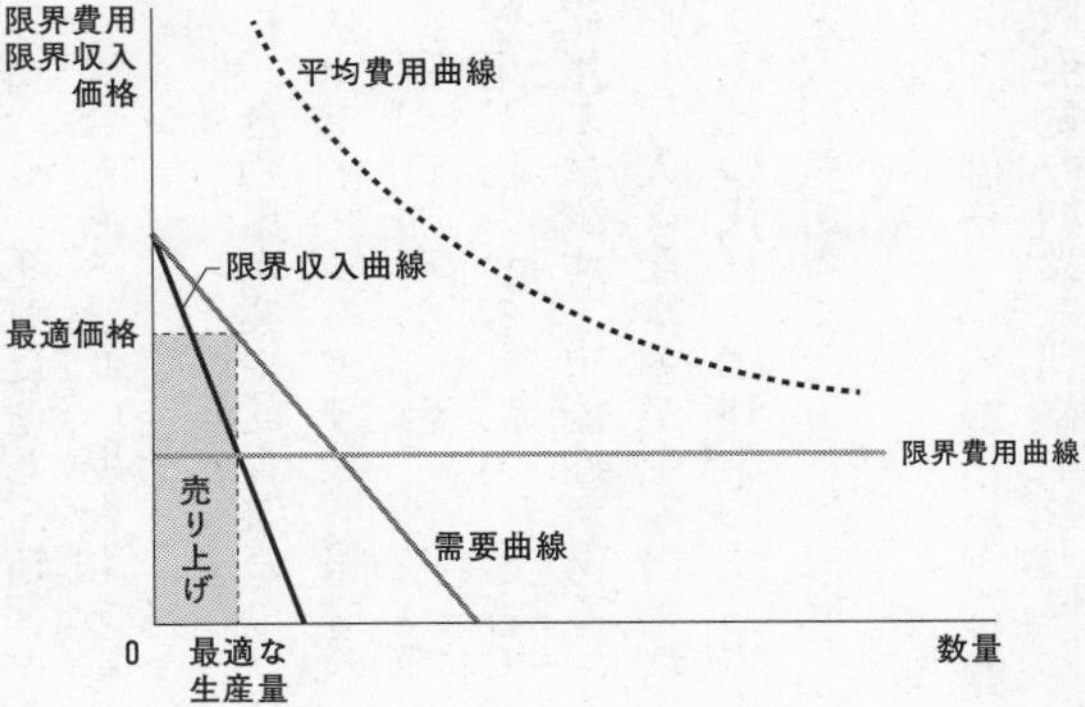

出所：筆者作成

独占市場であっても、固定費用や限界費用が高く需要が少ない財については、図4・10のように平均費用が最適価格を上回り、利益がマイナスになる可能性が高くなるので、商売として成り立たない。

例えば、ラーメン店では店舗を維持する固定費用に加えて、ラーメンを一つ作るのに掛かる限界費用がプラスなので、仮に独占市場であると仮定したとしても、平均費用がゼロに近づいていくことはない。そうすると、需要の少ないラーメン、つまり人気のないラーメンを供するラーメン店はその味が唯一無二であり独占的であったとしても、平均費用が価格を上回るので潰れてしまう。

実物財では、固定費用も限界費用も高いので、売り上げの分布はロングテール型にはなり得ない。それに対し、情報財では、限界費用はゼロに近く、固定費用については高い場合もあるが低い場合もあるので、売り上げの分布はロングテール型になり得る。

現在、自動車産業や飲食業のような実物財の売り上げがGDPに占める割合は低下し、スマホアプリのような情報財の売り上げがGDPに占める割合は上昇している。その際、自動車を一台一台作っていた労働者の雇用が減少する一方で、アプリ開発者の雇用が増大する。だが、後者では限界的な雇用が生み出されないので、全体としては雇用が減少する可能性がある。そのうえソフトウェアの売り上げはロングテール型であり、大きな格差が生み出される。

売り上げの代わりに利潤に注目すると、格差はより大きいものとなる。需要が多くなると取引量が多くなるだけではなく、平均費用がゼロである限界費用に漸近していく。

すると、価格と平均費用の差は開いていき、利益率が上昇する。需要が多くなると、取引量の増大と利益率の上昇という二つの効果によって、とてつもなく利潤が大きくなっていく。

IT産業では限界費用がほぼゼロであるため、利用者が多いほど平均費用はゼロに近づく。そのため、巨大IT企業の利益率は他の産業では考えられないほどに高くなる。

そうした莫大な利益のかなりの部分を研究開発に投じ、未来におけるより付加価値の高いサービスにつなげている。それゆえ、新たにOSを開発してマイクロソフトに打ち勝つ企業やグーグルよりも優れた検索エンジンを開発する企業の出現は、全くあり得ないことでないものの、かなり可能性が低くなっている。

それでも、かつてのGMのように、多くの一般的な労働者がマイクロソフトやグーグルに就職できれば、私たちの社会は分厚い中間層を形成することができる。ところが、既に論じたように、IT産業は労働集約型ではなく知識集約型であるために、知性やスキルを持った比較的少ない人数の労働者しか務めることができない。マイクロソフトやグーグルであればなおのことだ。

IT化・AI化の進展は、独占化を促進させるので、理論的には価格ゼロをもたらさない。そうした独占企業に勤められる労働者ばかりが潤うようになるので、格差は拡大する。

数十人しか利用者のいないアプリを開発している個人が、その収益で暮らしていくのは不可能だろう。そうした個人は経済学的な意味で職に従事していると言えるだろうか。

年収10万円をもたらす雇用は、実質的に雇用と言えるだろうか。貧困・格差の問題は雇用の消失と切り離せない。ＩＴ・ＡＩによる中間所得層の没落の果てにあるのは、図３・８のようなロングテール型の所得分布だ。

特化型ＡＩがゆるやかに進歩していき、マクロ経済政策が的確に実施されたとしても、所得分布のロングテール化は避けられない可能性がある。

汎用ＡＩの出現はこうしたロングテール化を急速に推し進め、ユーチューバーやティックトッカーといったトップの数十人以外はさしたる所得のない職業ばかりが残る。彼らのほとんどは、所得の面では無職と大して変わることなく、ＢＩのような大胆な所得再分配政策なしに暮らしていくのは不可能となるだろう。

本章のまとめ

Summary 4

- 19世紀にリカードは長期的な失業はあり得ないと論じた
- 主流派経済学では、技術進歩を長期で扱い、失業を短期で扱うことが多い
- 技術進歩と失業が同じタイムスケールで現れることが少ないので、技術的失業は中心的なテーマになり得なかった
- 主流派経済学で技術的失業は、需要不足とは関連付けられず、あくまでも労働市場の問題として扱われる
- 非主流派であるポストケインジアンのパシネッティは、技術進歩には需要不足による失業を増大させる傾向があると論じた

- パシネッティによれば、新しい種類の財の創出は技術的失業を減少させる効果を持つ
- 情報財は限界費用ゼロであり、追加的な生産に労働を必要としない
- そのためＩＴ産業やコンテンツ産業は雇用を生みにくい
- 一般的な労働者が従事し得る仕事がある限り、財政・金融政策によって技術的失業を減らせる
- ＩＴ産業のような限界費用ゼロ産業では、独占が生まれやすく格差が拡大しやすい

The Pure Mechanized Economy_Chapter 5

第5章

新石器時代の大分岐

――人類史上最大の愚行はこうして始まった

戦争が、少なくとも戦争を頭に思い浮かべることが、スリル満点の楽しみとなっている独裁者やそれに類した人間にとって、国民の中に眠る好戦気質を目覚めさせることなど、なんの造作もないことである

——ケインズ『雇用、利子および貨幣の一般理論』16

1 ガンディーと産業革命

綿布の製造から始まった産業革命

チャルカ（糸車）は、ガンディーによってイギリスに対する抵抗のシンボルとして用いられ、インドの国旗に描かれたこともあった。もっとも、今のインドの国旗に描かれているのはチャルカに見まがうけれど、代わりに採用されたチャクラ（車輪）である。

アショーカ・チャクラといって、アショーカ王が用いた仏教教義のシンボルであり、車輪の形をしている。なお、チャルカはもともとチャクラから派生した言葉だ。

チャルカでつむがれた糸を織り上げて作られたインド産の綿布は、キャラコと呼ばれ、かつてはイギリスで熱狂的に愛されていた。17世紀に、東インド会社によってイギリスに輸入されると、その軽さと肌触りの良さゆえにキャラコ熱と呼ばれる大ブームを巻き起こしたのである。

イギリスではもともと毛織物業が盛んだったが、キャラコの流行によって大打撃を受けた。毛織物業者によって巻き起こされた反キャラコ運動は、1700年のキャラコ輸入禁止法と1720年のキャラコ使用禁止法として結実した。

ところが、一度知った綿布の魅力を人々は忘れることができず、同様の綿布を自国で作りたいという欲望が、産業革命の一つの大きな原動力を成している。このように、輸入品を自国で生産するために工業化がなされることを輸入代替工業化という。

ミュール紡績機

1779年にイギリスの発明家サミュエル・クロンプトンによって作られた紡績機。ジェニー紡績機と水力紡績機の良いとこ取りをしているので、ウマとロバの雑種ラバを意味する「ミュール」にちなんで名づけられた（©Science Photo Library／アフロ）

綿布の製造には、綿から糸をつむぐ紡績と縦糸と横糸を織り上げて布に仕立てる紡織という二つの工程がある。

産業革命以前には、イギリスでも糸車を用いて糸をつむいでおり、１７６４年頃に発明されたジェニー紡績機も依然として人力に頼った糸車だった。その後、水力紡績機やミュール紡績機などを経て、１８２７年（１８３０年という説もある）にリチャード・ロバーツによって開発された自動ミュール紡績機によって、紡績は完全に機械化された。

一方の紡織は１７３３年にジョン・ケイによる飛《と》び杼《ひ》の発明以来さしたる進歩がなかったが、１７８５年にエドモンド・カートライトによって力織機が発明されて、蒸気機関を動力とした生産が確立された。

生産構造の変革

経済学の観点から１７６０年から１８３０年にかけて起きたこの産業革命を論じるにあたって、最も重要なのは、農業中心の経済から工業中心の経済へ移行し、生産が機械化されたということだ。それは人類史上二度目に起こった生産構造の変革として位置づけられる。

生産構造は私が作った用語であって、マルクスのいう生産様式とは異なっている。生産様式は、社会の中で生産活動を行う主体がどのような位置に置かれているかということを表している。マルクスによると、生産様式は、原始共同体、奴隷制、封建制、資本主義、社会主義の順に進歩するという。

それに対し生産構造は、単純に生産活動に必要なインプット（投入要素）と生産活動によって生み出されるアウトプット（産出物）との基本的な関係を意味する。

図5・1　農耕中心の経済の生産構造

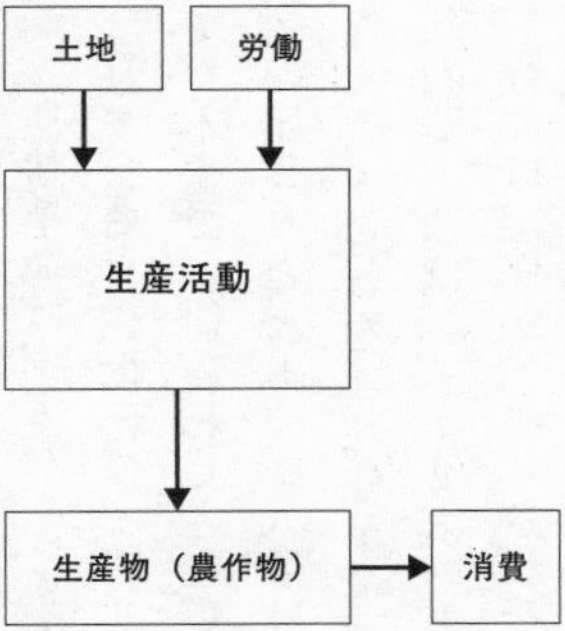

出所：筆者作成

生産構造の一度目の変革は、紀元前9000年頃から始まった農耕革命だ。この革命によって、狩猟採集中心の経済から農耕中心の経済に転換し、図5・1のような生産構造が確立された。

農耕の主要なインプットは、土地と労働であり、生産活動を通じてアウトプットたる農作物が生み出される。これは一般に、土地が広いほど、働く人々が多いほど、より多くの農作物が収穫できることを意味している。

なお、農耕革命は、アルビン・トフラーの『第三の波』(中央公論新社)では農業革命と呼ばれている。18世紀のイギリスで起きた農業の生産性向上のことも農業革命というので、本書では紛らわしさを避けるために農耕革命という語を用いることにする。

農耕の始まりとともに、人類はさすらうことをやめて一ところに住まいを構えるようになった。これを「定住革命」といい、農耕革命とひっくるめて新石器革命という。新石器革命は、イギリスの考古学者ゴードン・チャイルドによって唱えられた。

なお、今では定住が先になされその後農耕が始まったという説が有力だ。

2 人類史上最大の過ちとは

ネアンデルタール人との命運を分けたもの

人類は狩猟採集民として生まれ、狩猟採集民として育った。700万年もの年月を、獲物を追って放浪を続けるノマドとして過ごしていたのである。アウストラロピテクスなどの猿人、ホモ・エレクトゥスなどの原人、ネアンデルタール人などの旧人を経て、50万年ほど前に新人たる現生人類ホモ・サピエンスが誕生している。

ホモ・エレクトゥスは最も長く生息した人類種だと考えられており、200万年近くもユーラシア大陸のそこかしこで暮らしていた。「この記録は私たちの種にさえ破れそうにない」[17]。

一説によれば、7万年前のトバ・カタストロフ（トバ事変）によって、ホモ・エレクトゥスは兄弟種のホモ・エルガステルともども滅んだとされている。トバ・カタストロフは、インドネシアのトバ火山の大噴火による気候の寒冷化とそれに伴う破局的な現象だ。ホモ・サピエンスも、個体数が1万にまで激減し絶滅寸前まで追いやられた。

このカタストロフの後、ホモ・サピエンス以外に生き残った人類種は、ネアンデルタール人とデニソワ人だけだったが、彼らも4万年くらい前にどういうわけか滅び去った。

私たちの不都合な兄弟たちがみんな死に絶えて、アメリカ人の半分近くがいまだに信じている創造論（神が人間を創ったという聖書の教え）がまかり通る下地が作られたのである。

人類種がいくつも生き残っていたら、現生人類だけが神から特別にしつらえられたという神話は信仰しにくかったろう。

ホモ・サピエンスは賢い人という意味で、正式な学名をホモ・サピエンス・サピエンスという。賢い賢い人ということになるが、本当にそんなにずばぬけて賢いのだろうか？

ホモ・サピエンスの脳の平均容量は1350ccで、ネアンデルタール人は1550ccである。脳の大きさのみが、賢さを決定づけるわけではないにせよ、ホモ・サピエンスの優位性を示す脳科学的な証拠はない。にもかかわらず、ネアンデルタール人は絶滅し、ホモ・サピエンスだけがあらゆる地表を我が物顔で跳梁跋扈《ちょうりょうばっこ》している。

どうやらネアンデルタール人は言語を扱えたものの、その言語はホモ・サピエンスほど十分な表現力を持たなかったらしい。一説によるとネアンデルタール人は、喉頭《こうとう》の形がそれほど言葉の発声に向いていなかったという。あるいは、脳の神経系の配線が突然変異によって変わったせいで、ホモ・サピエンスは豊かな言語能力を身に付けたとも言われている。

いずれにしても、ちょっとした偶然の変化がネアンデルタール人とホモ・サピエンスの命運を分けたことになる。言語を使えれば、自分の発見した知識を多くの仲間に伝達することができる。

会話、つまり発話による言語コミュニケーションは、人類が初めて手にした情報通信手段であり、知識利用性（ナレッジ・アクセシビリティ）を格段に高めることができるツールだ。知識利用性は私が作った造語で、知識に対するアクセスのしやすさを意味している。

イギリスの生物学者リチャード・ドーキンスは、人から人へ伝えられる知識やアイデア、デマ、噂などの情報を、遺伝子になぞらえるようにミーム（模倣子）と名づけた。

リチャード・ドーキンス
Clinton Richard Dawkins（1941-）
現代のイギリスの生物学者。生物の進化や動物の利他的な振る舞いを遺伝子の観点から捉え直した「利己的遺伝子」を提唱
（©Ullsteinbild／アフロ）

ミームは、言語能力の獲得から始まって、文字の発明、印刷革命（活版印刷の発明）、テレビ、ラジオなどのマスメディアの発達、そしてインターネットの普及などのたびに伝播の範囲を拡大させ、知識利用性を高めていった。

言語の出現以前は、ある個体から他の個体へ情報を伝達する主な手段は遺伝子だった。それが、言語の出現によって、ミームの形をとって情報が伝達されるようになったのである。

遺伝子による進化は、突然変異が起きて自然淘汰がなされなければならず、万年単位の時間を要する。数千年単位ではほとんど進化は発生しない。ミームによって人類は、進化の急行列車に乗ることができるようになった。

かくして、6万年くらい前にアフリカを脱した現生人類ホモ・サピエンスは、先に脱したネアンデルタール人やデニソワ人との生存競争に打ち勝って世界中に広がり繁栄を続けた。

ただし、ネアンデルタール人とデニソワ人も完全に滅んだわけではない。以前は、ホモ・サピエンスとネアンデルタール人は、交配できなかったと考えられていた。ところが2010年に、ホモ・サピエンスには、ネアンデルタール人とデニソワ人の血が流れていることが明らかにされた。

さらに最近の研究によれば、ネアンデルタール人からうつ病やニコチン中毒などの遺伝情報を受け継いでいるという。私たちは、彼らからとんだ置き土産を残されてしまったというわけだ。

農耕の始まり

他の人類種との生存競争に勝ち残った現生人類の一部は、紀元前1万年頃に今のレバノン、シリア、イスラエル辺りのレバントと呼ばれる地域に定住し、ナトゥーフ文化を築いた。定住した後もしばらくは、アーモンドやドングリを採集し、ガゼルという鹿に似たウシ科の動物を狩猟していた。

ところが、紀元前9000年から8000年にかけてヤンガードリアスと呼ばれる急激な寒冷化によって狩猟や採集が難しくなり、ナトゥーフ人はシリアの辺りで、ライ麦の栽培を始めた。これが現在最も広く受け入れられている農耕の始まりだ。[18]かかる原初の農耕の跡は、テル・アブ・フレイラ遺跡と呼ばれ、発掘調査が続けられていたが、今はダムの建設に伴って、アサド湖の底に沈んでいる。

ナトゥーフ文化の遺跡としては、紀元前9000年より前に、死海の北のほとりに築かれた人類史上最古の街イェリコもある。出エジプトを果たしたモーゼの後継者ヨシュアが侵攻して住民を皆殺しにしたことでも有名な土地だ。

紀元前9000年頃の農耕の開始をもって、時代区分はナトゥーフ文化が属する亜旧石器時代から新石器時代に移り、テル・アブ・フレイラの集落はより大規模なものとなった。

私たちが今日文明と呼ぶものの原始的な形態が現れたのである。ただし、最初の本格的な文明は、紀元前4000年以降のメソポタミア文明まで待たなければならない。

人類史上最大の過ち

一般に、組織化された社会や文字、大規模な建築物が生み出されなければ、文明とは呼ばれない。ノマディックな我らが祖先の社会には、文明は発達しなかったが文化ならば立派に芽吹いている。

名づけられたものだけでも、ナトゥーフ文化の基になるケバラン文化やヴィレンドルフのヴィーナス像やラスコーの洞窟壁画で有名なマドレーヌ文化など、いくつかの狩猟採集社会の文化がある。

建築物について細かいことを言えば、紀元前1万年よりも前に狩猟採集民によって築かれた神殿の跡であるギョベクリ・テペ遺跡という例外がある。トルコ東南部に位置するこの遺跡は、2007年に本格的採掘が始まったばかりで、2018年に世界遺産として登録されている。

ギョベクリ・テペの神殿以外の大規模な建築物は、メソポタミアのジッグラト（神殿）にせよエジプトのピラミッドにせよ、農耕革命以降に築かれている。多くの場合、支配者が被支配者を使役して作らせるのだから、それらの遺跡は階級と不平等があったことを証拠立てている。

狩猟採集をやめて農耕を始めたことが、人類に様々な害悪をもたらした。このような説は、手軽に読めるダイエット本から重厚な歴史書に至るまで様々なところで語られており、今や常識になりつつある。

世界的なベストセラーになったジャレド・ダイアモンドの『銃・病原菌・鉄』（草思社）やユヴァル・ノア・ハラリの『サピエンス全史』でも、かなりの紙面がこのテーマに費やされている。

狩猟採集社会においては、バンド（生活を共にする集団）内でおよそ平等が保たれ、バンドの出入りも比較的自由だった。農耕の開始によって蓄積が可能となり、より多く蓄積した者が支配者となった。農耕技術は、特定の者だけをエンパワーし、多くの人々を被支配者の地位に貶め、階級が分化した。

自由や平等が損なわれたとしても、人々がより幸福になっているならば、農耕を始めた甲斐がまだしもあったというものだ。だが、実際のところ農耕は、戦争や飢餓、疫病、長時間労働、椎間板ヘルニアなどの様々な苦痛をもたらした。ダイアモンドは、農耕の開始を「人類史上最大の過ち」[19]とすら言っている。

狩猟採集社会では、集団での争いはほとんど起きなかったという説がある。というのも、狩猟採集社会では領域的に土地を支配することが価値を持たないし、蓄積された富もほとんどないので、略奪するに足るものがない。たとえ部族どうしが衝突したとしても、戦いに負けそうな部族がその場を去り、新たな狩猟採集の地を見つけに行けばいいだけの話だ。

それに対し、農耕社会では、先の図5・1に表されているようにインプットたる土地と労働つまり人々を支配することが、より大きな生産物の獲得につながる。それゆえに、土地や人々を支配する戦争が絶えることがなかった。金や銀などの蓄積された富もあったので、それらを略奪することも侵略の動機になり得る。

さらに、ハラリも論じているように、戦いからの逃避は、耕作していた麦や稲を手放し、飢え死にすることに帰結するから、敵が攻めてきたら死に物狂いで戦うしかない。

一方で、狩猟採集社会でも死因の14％程度は殺人だという研究がある。[20] 初期の農耕社会では15％程度が殺人だというので、それほど変わらない。

狩猟採集社会は農耕社会よりもずっと平和だったという説も根強く、いまだに白黒がついていない。いずれにせよ、土地の領有をめぐるような戦争は、農耕革命以降に出現している。

マルサスの罠

狩猟採集社会でも飢餓にさらされることはあるが、農耕社会では不作になれば、はるかに破滅的な飢餓が発生する。

19世紀のヨーロッパというとかなり近代化が進んでいるものと想像されるだろう。だが、１８４５～49年の5年間に、ヨーロッパ全域でジャガイモの疫病が蔓延し、ジャガイモを主食にしていたアイルランドでは１００万人の餓死者を出している。

この飢饉はジャガイモ飢饉と名づけられているが、古代ではあまりにも頻繁に飢饉が起きていたので、いちいち命名がなされていないほどだ。

飢饉を抜きにしても農耕民の食生活は良好なものではなく、狩猟採集民より恒常的に栄養状態が悪く身長が低かった。

狩猟採集民は、狩猟によって得られる鹿や象などの肉の他に、根菜、果物、ナッツ類を採集して暮らしていた。農耕民は、小麦なら小麦、米なら米をやたらに摂取するので、狩猟採集民に比べて栄養のバランスが悪い。

大げさに言えば、近頃流行している糖質制限ダイエットは、数千年続いた農耕民の不健康な食生活を打ち捨てて、それ以前の数百万年続いた狩猟採集民のより健康的な食生活を取り戻そうという壮大な取り組みの一環なのである。

意外性を感じさせるのは、農耕民の１人当たりカロリー摂取量についても、狩猟採集民より低かったということだ。狩猟採集よりも農耕の方が多くの食料が得られるので、農耕の方が豊かな暮らしがもたらされるように思える。

ジャガイモ飢饉

ジャガイモの不作により19世紀のアイルランドで起こった飢饉。
100万人ほどの死者を出した（©Mary Evans／PPS通信）

ところが、近代以前のほとんどの社会では、食料が増大した分だけ子供を多く作り、人口を増やす習性があった。人類はそのめざましい繁殖力ゆえに、「生存水準」を大きく超えるような豊かな生活を営むことができなかったのである。

イギリスの経済学者トマス・ロバート・マルサスが『人口論』で示した人類のこの呪わしい宿命を、「マルサスの罠」という。

マルサスのこの説にしたがえば、農耕民は狩猟採集民の水準を超えるようなカロリーを摂取することはできないことになる。前者が後者のカロリーをむしろ下回っていると先に述べたが、他に何が作用していたのかというと、出産の間隔の短縮化だ。妊婦や幼児を連れて放浪するのは困難なので、狩猟採集社会では一度出産してから次の出産までの間隔はおのずと長くなる。子供の出産、養育コストが高いと言い換えることもできるだろう。[21]

定住によって子供の出産、養育コストが下がり、出産の間隔が短くなった。こうして出生率が上昇し、食料生産の増大率以上の率で人口が増大したことが、1人当たりの食い扶持《ぶち》を減少させたものと推測されている。

様々な災難がもたらされたにもかかわらず、農耕を始めたことは人類史の最大の謎と言える。とはいうものの、現代人も毒ガスや原子爆弾を作ったり、サマータイムを導入したりといった愚行を繰り返しているので、我らが祖先を上から目線でバカにすることはできないだろう。

3 自滅的な問題はなぜ引き起こされるのか

不合理な振る舞いと合成の誤謬

人間が自らを不幸にする自滅的な社会問題を引き起こす時、そこにはおよそ

(1) 不合理な振る舞い
(a) 認識の歪み
(b) 意思決定の歪み
(2) 合成の誤謬

といった要因しかない。

(1)不合理な振る舞いは、そもそも個々の人や集団が合理的に振る舞っていないケースを指している。それに対し、(2)合成の誤謬は、個々の人や集団が合理的に振る舞っているにもかかわらず、全体としては合理的な結果がもたらされないことを指している。

人間が不合理な振る舞いを行う原因は、(a)認識の歪みと(b)意思決定の歪みに分けて整理できる。(a)認識の歪みは物事を正しく認識できないということを、(b)意思決定の歪みは最適な意思決定ができないということをそれぞれ意味している。

認識が歪んでいれば合理的に振る舞えないし、たとえ認識が正しくても意思決定に歪みがあれば、やはり合理的に振る舞えない。

これらの歪みは、この30年ほどの間に行動経済学の分野で盛んに研究されてきた。従来の経済学では、人間は合理的に振る舞うホモ・エコノミクス（経済人）と想定されていたが、行動経済学では合理的ではない現実的な人間の振る舞いに注目している。

ホモ・エコノミクスなどというのは、もともと経済学者のコミュニティでしか通用しないおとぎ話でしかないが、人間に不合理な面があるという主張は経済学者には衝

ハーバート・サイモン
Herbert Alexander Simon
(1916-2001)
20世紀アメリカの政治学者でAI研究者。「限定合理性」の研究によって1978年にノーベル経済学賞を受賞（©AP／アフロ）

撃をもって受け止められた。

アメリカの政治学者でAI研究者でもあるハーバート・サイモンが、1950年代に人間の認識能力に限りがあるという「限定合理性」に関する研究を精力的に行って、1978年にノーベル経済学賞を受賞したほどだ。

さらに、本格的な行動経済学を創始したイスラエル出身の心理学者ダニエル・カーネマンは、2002年にノーベル経済学賞を受賞している。

不合理な振る舞い

コイン投げを6回連続して行った時に、起こりやすいのはAとBのどちらかという問題がある[22]。

A：○○○×××

B：○×○××○

ただし、○は表を表していて、×は裏を表しているものとする。多くの人は、Bの起こる可能性の方が高いと考えてしまう。Bの方が典型的な並びであり、Aは特別な並びだからだ。

ところが、AとBの発生確率は同じで、0・015625（0・5の6乗）である。このように典型的な事象が起こりやすいものと見誤ってしまう人間の習性は代表性バイアスといい、認識の歪みの例と考えられる。

行動経済学では、このような様々な実験によって人間の認識の歪みを明らかにする。とはいうものの、人間が勘違いや思い違いをする動物であることは、実験するまでもなく世の人々みなの知るところだ。

サマータイムの導入という愚行もまた、認識の歪みによっている。実施している地域では、夏の始まりの時計の針を早めるタイミングで、睡眠障害や心臓発作、自殺などが増大する。

導入前には、そうしたデメリットの大きさを十分予想することができない。人間は、未来を正確に見通すエスパーではなく、すべての自然界の法則を知悉《ちしつ》している神でもないからだ。

サマータイムを一度導入して廃止した国は、日本や中国など20ヵ国以上に上る。EUも、市民の多数が反対しており、現在廃止が検討されている。日本のように、約70年前に導入して一度廃止したにもかかわらず、2018年に政府が再び導入を検討した救い難く間抜けな国もある。人間は未来を見通せないだけでなく、過去の愚行についても忘却してしまうのだ。

行動の歪みとしては、時間非整合性が挙げられる。例えば、ダイエットに取り組んでいる人が、9月17日に「今夜は寝る前にチョコパイを食べるけど、明日は食べない」と宣言したとする。

しかし、いざ翌日の9月18日になると、再び「今夜は寝る前にチョコパイを食べるけど、明日は食べない」と宣言したとする。明日は食べないという9月17日の宣言を9月18日には反故にしているので、この人の宣言は時間を通じて整合的ではない。すなわち時間非整合的である。

なぜこのような非整合性が現れるのかというと、人間は目の前の衝動に勝てないからだ。今チョコパイを食べたいけれど、明日はその食欲を抑えられるものと、未来の自分の忍耐強さを過大評価してしまう。

ところが、明日になればより忍耐強く生まれ変わっているわけでもなく、相変わらず目の前の衝動には勝てないのである。

人間には利那主義的な傾向があって、その傾向が高ければダイエットして痩せるという目的を実現することはできない。

ダイエットすれば痩せるという事実は分かっていて認識に歪みがないにもかかわらず、意思決定に歪みがあるために、合理的に振る舞えないのである。

合成の誤謬

正しく認識し正しく意思決定すれば、人間は合理的に振る舞えるだろう。ところが、すべての個々人がたとえ合理的に振る舞えたとしても、なお社会問題が引き起こされる可能性がある。

というのも、社会というのは多数の人間から構成されていて、個々人が合理的に振る舞っても、その総和である社会全体に合理的な結果がもたらされるとは限らないからだ。それがまさに合成の誤謬である。

個々人というのを、個々の部族や個々の国に置き換えてもいい。つまり、合成の誤謬は、個々の主体の振る舞いは合理的だが、全体としては合理的でない事態を指している。

説明でたびたび用いられるのは、サッカースタジアムの立ち見観戦の例だ。サッカースタジアムで、観客の1人が立ち上がって観戦すると、自分だけ見やすいので合理的である。だが、すべての人々が同じように振る舞うと、全員が座っている状態と見やすさは変わらない。

座っているよりも立っている方が疲れることを考慮すると、全員で損な振る舞いをしていることになる。その際、スタジアムの場内アナウンスによる「着席してください」という神の一声によって、合成の誤謬は解消されるかもしれない。

「うなぎが絶滅しそうだから、今のうちにうなぎを食べておこう」と人々が余計にうなぎを食べるのも、合成の誤謬の一種だ。うなぎを食べることは一人ひとりにとっては合理的だが、それによって絶滅し誰もうなぎが食べられなくなるのだから、世の中全体にとっては合理的ではない。

なお、「うなぎが絶滅するだろう」という予想がなされるからこそ、うなぎが余計に消費されて、実際にうなぎが絶滅するという因果関係が成り立つのであれば、これは予言の自己成就でもある。

予言の自己成就は、「自分の頭がはげるのではと心配すると、そのストレスで実際にはげる」とか「試験の時にお腹が痛くなったらどうしようと心配して、それゆえに実際にお腹が痛くなる」といったように、予想がなされることで予想が実現されることを意味する。

合成の誤謬は、マクロ経済学では、不況の際に生活の先行きが不安になり、みなが節約すると消費が冷え込むので、より不況が悪化する、という事態を説明するのに用いられる。不況が悪化するという予想がさらに不況を悪化させるというこの事態もまた、予言の自己成就の一例だ。

その際の神の一声に相当するのが、政府が支出を増やす財政政策や中央銀行が出回るお金の量を増やす金融政策である。

合成の誤謬というこの汎用性のある言葉は、世の中の様々な局面で使われるべきだが、残念ながらマクロ経済学以外ではほとんど聞くことがない。

経済学では協調の失敗という用語も使われており、これは合成の誤謬とほとんど同じ意味だが、なぜか同じということが経済学者自身によってもさほど意識されていない。さらには、ミクロ経済学で扱われる市場の失敗のいくつかは、合成の誤謬だ。

例えば、街灯を立てることによって、人々が夜も安全に歩けるようになり便利になるとする。だが、街灯を立てるにはお金が掛かるにもかかわらず、通行者から料金をとることもできないので、個々人にとっては街灯を立てないことが合理的だ。

全体としては街灯を立てることが合理的であるにもかかわらず、市場に任せていればいつまで経っても街灯が立つことはない。この場合も、不況の際に政府による財政政策が必要なのと同様に、政府による街灯の設置が求められる。

毒ガスや原子爆弾が配備されるのも、合成の誤謬によっている。戦力の増強は、一つの国にとっては合理的な振る舞いの可能性があるが、人類全体にとってはひたすら乱費で有害でしかない。

それゆえに、毒ガスがジュネーブ議定書で禁止されたり、ダムダム弾がハーグ平和会議で禁止されたり、核弾頭が戦略兵器削減条約で削減されたりする。

「人類の歴史は戦争の歴史である」といういうありきたりの言い回しがあるが、それに倣って「人類の歴史は合成の誤謬の歴史である」と言うことができる。

合成の誤謬を解消するには、超越者が介入したり、主体どうしが協調的なコミットメントを行ったりする必要がある。人々に対しては国家が超越者になり得るし、国家に対しては国連が超越者になり得る。あるいは、人々が契約を結ぶことや国家どうしが条約を締結することが効果を持つ場合もある。

4 人々が繁栄にとり憑かれて経済成長は始まった

繁栄にとり憑かれる

農耕という「人類最大の過ち」が実施された理由としては、認識の歪み、意思決定の歪み、合成の誤謬のいずれもあり得る。不作や疫病の蔓延といったリスクが十分知られていなかったというのが認識の歪みだ。定住がさしあたって楽だからという理由でなされたとするならば、意思決定の歪みということになる。

農耕の開始が不合理であるにもかかわらず成されたのは、農耕民の方が戦争で優位であるというのが最も有力な説であろう。狩猟採集よりも農耕の方が多くの人々を養えるのだから、人数の少ない狩猟採集民は軍事力の面で圧倒される。

そうすると、狩猟採集民は農耕民に滅ぼされるか、自分たちも農耕化して対抗するより他なくなる。いずれであっても、一たび農耕社会が出現するとその周りの地域もすべて農耕化される。

イタリアの遺伝学者ルイジ・ルーカ・カヴァーリ＝スフォルツァによれば、農耕は年速1キロメートルでヨーロッパ全域に普及していったという。かなりのスローペースであるが、ドミノ倒しのように順繰りに、そして着実に農耕は広がっていったのである。

マルクスに「人間の解剖はサルの解剖のための鍵である」という至言があるが、それをもじって言えば、近代の分析は前近代の分析の役に立つ。

新石器時代には文字がないので、私たちは農耕化の動機を直接知ることはできない。状況証拠から判断したり、よく知られた時代の状況を投影して類推したりするしかない。

近代において、一たび主権国家が誕生すると、その軍事力に対抗するために他の国々も主権国家を樹立し、近代化を進め、経済成長を目指さざるを得なくなる。

4隻の艦隊を率いたマシュー・ペリーによってその軍事力を背景に開国させられて以降、日本が死に物狂いで近代化に取り組んだことを想い起こしてほしい。それと同じことが農耕革命期にも起きたものと考えられる。

主権国家による軍拡と同様に、農耕社会における部族の軍拡も、全体として見れば生産力の浪費でしかない。それでも、農耕化しなければ滅ぼされるのであれば、農耕化は個々の部族にとっては合理的な選択となる。つまり、農耕化は合成の誤謬の一種と言える。

農耕が始まったのは、軍事的な理由だけではないだろう。近代化は軍事的な理由だけでなく、国家の繁栄のためにもなされている。人間は繁栄にとり憑かれている動物だ。

繁栄は軍拡をもたらし、軍拡はまた繁栄をもたらす。日本でも少なくとも戦前まではそう信じられており、富国強兵なるキャッチコピーが掲げられていた。

明治から昭和初期にかけての日本では、国民の生活水準の向上よりも広い領土を併呑することが目指されていた。領土の拡張こそが、国家の繁栄と見なされていたのである。

戦後の日本では軍事的な膨張主義は捨て去られ、繁栄の基準が改変されて、生活水準の向上が目指されるようになった。その実現のためにさらなる近代化が推し進められたのである。こうした近代化からの類推で、農耕化も軍拡だけでなく繁栄のためになされたのではないかとも推測できる。

繁栄は、必ずしも個々人の摂取カロリーや1人当たり所得といった生活水準の向上を意味しない。個々人の幸福度に比例するとも限らない。

農耕化とマルサスの罠は地続きの問題として議論されるべきだろう。近代以前の人々は、個々人の生活水準という現代的な尺度からすると不合理としか言いようのない行動をとる。それは、子供をたくさん作って、1人当たりの食い扶持を減らすということだ。

近代以前の社会がマルサスの罠に陥っていたのは、家族を単位とすると構成員が多いことや、家族全体で所有する富の多いことこそが繁栄と見なされていたからだ。こうした意味での繁栄を目的とするならば、農耕化は理にかなっている。

アメリカの経済学者ダグラス・ノースは、農耕革命を第一次経済革命と呼んで、その本質を人々の経済的なインセンティブが変化したことにあるとした。

狩猟採集社会では財産は共有されていたが、農耕社会では財産は排他的に所有されるようになった。それによって、人々は技術や知識を獲得して生産性を高めようというインセンティブを持つようになったとノースはいう。

それによって個々人の暮らしが豊かになったわけではなく、家族の構成メンバーが増えて、家族単位当たりの富が増えたのである。同様に、部族や国家の繁栄についても考えられるだろう。

ジッグラトやピラミッドのような高い建造物もまた繁栄のあかしとなる。もし、軍拡だけが農耕化の主要な動機であったならば、軍事的には役立ちそうもないジッグラトやピラミッドが、盛んに建造される理由は判然としなくなる。

新石器時代の大分岐

農耕の開始によって初めて経済成長が可能になったということは、特筆に値する。GDPは一国内の取引量を意味するから、自給自足経済にこのGDPの概念を直接当てはめることはできない。

そこで、ある地域の住人の総摂取カロリーを現代風のGDPの代わりに用いてみよう。近世以前では、人類はマルサスの罠に陥っていたので、総摂取カロリーは人口におよそ比例する。つまり、人口が増えれば経済は成長することになる。

狩猟採集社会の人口増加率は多くても0・0015％だが、農耕開始後には約0・036％まで上昇している。1万年前頃の地球上の人口は約800万人であり、紀元1世紀頃には3億人程度まで増大したという[23]。

加えて狩猟採集社会では、人口の増大は人々が拡散して暮らすことを意味するので、地域当たりの人口はほとんど増大しない。農耕によって、地域当たりの人口の持続的な増大が可能となり、経済成長が実現した。

農耕は、紀元前9000年に中東のレバントで始められたのを皮切りに、紀元前

図5・2　新石器時代の大分岐

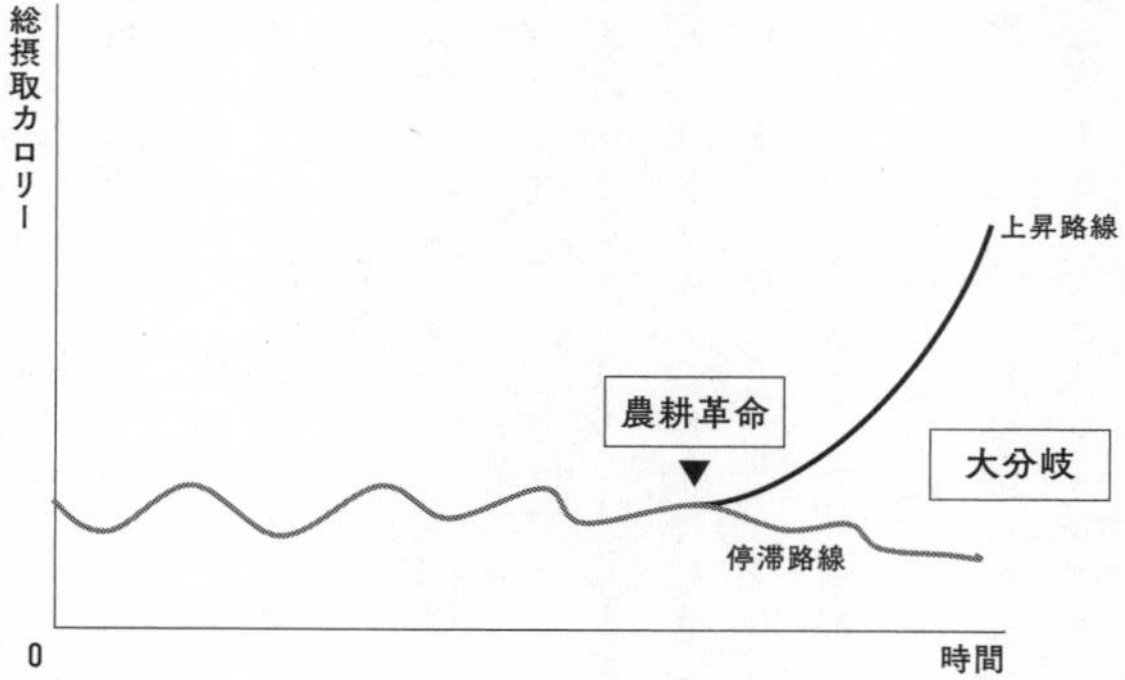

出所：筆者作成

6000年頃のインドや紀元前5000年頃の中国でも別個に導入されたと考えられている。

農耕の開始時期は地域によってかなり開きがあるので、経済が成長を続ける農耕地域と停滞したままの狩猟採集地域がかなり長い時間併存していたことになる。

図5・2のように、農耕地域は総摂取カロリーが増大する上昇路線に乗り、狩猟採集地域は停滞路線をたどることになる。このような地域間の開きを「新石器時代の大分岐」と名づけることにしよう。

後で見るような近代における経済成長に関する地域間の開きこそが、経済史では一般に大分岐と呼ばれている。時代が後であるにもかかわらずそちらに名前が先取りされているので、区別するために「新石器時代の大分岐」と名づけた。

農耕を開始した地域が上昇路線に乗るといっても、これは天国行きの列車ではない。繰り返しになるが、農耕社会で経済成長は確かに起こったが、1人当たりの摂取カロリーは増大せず、個々の人々は全く豊かになっていない。

そんな繁栄は空疎なものではないかと思われるかもしれないが、繁栄というのは元来空疎な側面を持っている。都市の華やぎや空を突くような高い建造物やその豪華さは、繁栄のシンボルというより繁栄そのものだ。そもそも、繁栄はシンボリックなものである。

豊かさのような実体ではなく、そこから遊離した一種の雰囲気、たたずまいを表している。こうした繁栄を謳歌したいという欲望を満たすことは必ずしも、幸福の増進にはつながらない。

これは、認識の歪みと意思決定の歪みの両方によっている。人々は、欲望の充足が必ずしも幸福の増進につながらないことを認識していないか、あるいは認識していてもなお欲望に抗えない。

糖質の大量摂取が肥満や生活習慣病の原因であることを意識していない人は、認識が歪んでいる。意識しているにもかかわらず、ついつい食べ過ぎてその都度後悔している人は、意思決定が歪んでいる。肥満や病気などの副作用がなかったとしても、欲望の充足は幸福を増進させるとは限らない。

参照点

人間は根本的に不合理な傾向を持っており、自分をより幸福にしようと振る舞うよりも、欲望を満たすことを優先する愚かしさを持っている。

多くの人々が宝くじに当選したいと願うことだろう。だが、宝くじに当たった人の平均的な幸福度は、一般的な人々の幸福度と変わらない。宝くじに当たったことでより不幸になる人すら少なくない。

ハンガリー生まれの経済学者ティボール・シトフスキーは、消費者は快適をもたらす商品を買い過ぎて、喜びをもたらす商品を買わな過ぎると指摘している。

行動経済学は、欲望の充足がそれほど幸福につながらないことを示している。それを初めに体系的に論じたのは仏教だろう。仏教に遅れること２５００年、ようやく科学は欲望の充足と幸福とのずれを見出した。

例えば、比較的小さい30インチのテレビを持っていたら、50インチのよりワイドなテレビが欲しくなる。50インチのテレビを手に入れると、しばらく満足度は高まるが、やがて50インチの大きさに慣れ切ってしまう。そして、そこから得られる満足度は、30インチのテレビと変わらなくなる。

そうすると、今度は80インチのテレビを欲することになるかもしれない。このように幸福は、欲望が充足するそばから逃げ水のように離れ去ってしまい、私たちはどこまで追いかけても持続的な幸福を得られない。

餓鬼道に落ちた亡者が、食べ物を手にすると炎に変わってしまい、決して空腹を満たすことができないというのは、此岸を生きる私たちの姿そのものだ。

行動経済学では、財の絶対的な数量ではなく、参照点（レファレンス・ポイント）との差によって、人間は満足を得るものと考えられている。

最初は30インチが参照点だったので、50インチのテレビの購入時には、50インチが参照点より大きいということで、満足度が高まった。だが、50インチのテレビでしばらく視聴していると今度は50インチが参照点となる。そうすると、参照点との差はゼロとなり、30インチのテレビを視聴していた時と満足度は変わらなくなる。

繁栄は参照点との差によって満足度を高める

一国の領土や人口、GDPを増やすことは、国民の幸福の増進を約束するものではない。戦前の日本は領土を広げて、欧米並みの一等国になることを目指していた。現代の日本人の感覚からすれば、なぜそのような膨張主義にこだわっていたのか理解し難く、不合理としか思えない。

国民が一度領土を拡張したいという欲望を抱き始めると、国土が焦土にでもならない限り、そこから醒めることは難しい。高校球児が甲子園出場という夢にとり憑かれて、肘を壊して再起不能にでもならない限り、その夢を諦め切れないのと同様だ。

とはいうものの、繁栄が当事者の満足度を高めることもあり得る。部族や国家といった個々の主体が、繁栄を目指すことが合理的であったとしても、それでもなお全体として不合理という可能性もある。

それは、繁栄が他者との比較によって満足をもたらすものであるからだ。所得が同様に他者との比較によって満足をもたらすものだということもまた、行動経済学が明らかにしている。

人は所得の絶対額によって満足を得るのではなく、近所の人や同僚の所得額という参照点との差によって満足を得る。隣人の年収が４００万円で自分が５００万円であったら満足度は高いし、自分の所得が300万円だったら満足度は低いというように。

要するに、欲望の充足によって持続的な幸福を得ることは難しいが、他者との比較において優位になることは幸福をもたらすのである。

そうだとすると、人々が刻苦勉励、人一倍所得を得ることは、個々人にとっては合理的だが全体として見れば軍拡と同様に全くの無駄骨ということになる。

誰かが得した分だけ誰かが損をして、参加者の損得を合計するとゼロになるゲームをゼロサムゲームという。例えば、仲間内で賭けマージャンを行った場合、その中でお金が行き来するだけなので、ゼロサムゲームとなる。参加者の損得の合計がプラスになるのはプラスサムゲームといい、マイナスになるのはマイナスサムゲームという。

労働時間を増やした結果自分の年収が400万円から500万円に上がっても、隣人の年収も400万円から500万円に上がったならば、収入から得られる自分の満足は全く変わらない。収入を基準にして見ればプラスサムゲームとなるが、満足度を基準にして見ればゼロサムゲームとなる。

労働時間を増やした分だけ睡眠時間が減って、健康が損なわれるかもしれない。そうであれば、マイナスサムゲームとなり、これも合成の誤謬の実例となる。

繁栄もまた同様に、日本が中国よりも繁栄しているとか、我が部族がかの部族よりも繁栄しているといった相対的なポジションによって満足を与えるものと言えるだろう。


農耕を始めた部族が、領土を広げ多くの富を保有し、壮麗なモニュメントを建てれば、他の部族もそれに負けじと農耕を始めるかもしれない。

そうした繁栄の競合に一たび巻き込まれると、もはや個々人の生活水準とか幸福といったものはすっかり忘れ去られてしまうのだ。合成の誤謬どころか、個人にとって不合理であったとしても、繁栄にとり憑かれた人々の営みは簡単にはやむことがない。


クフ王のピラミッドはもともと146・59mの高さで、丸の内にある30階建ての明治安田生命ビルと同じくらいだ。そんな巨大なモニュメントを建てた理由は、私たちには計り知れない。

人間ピラミッドを作る理由ならば、ある程度はっきりしている。現代の日本の子供たちは、運動会の組体操で高ければ10段もの人間ピラミッドを作らされることがある。崩れた衝撃で、腰椎を骨折したり、全身まひに陥ったりする子供もいる。

それにもかかわらず、教員を含めた大人たちが感動し満足を得たいがために、この危険な体操は廃止されることがない。

時には、教員に煽られることによって、子供たち自身がより高いピラミッドの構築に向けて邁進《まいしん》することもあるだろう。子供たちは大人以上に、腰椎を骨折することの痛みや恐ろしさを想像することができない。

より高い人間ピラミッドを築くという目標に一度とり憑かれると、怪我や障害を負う危険などはそっちのけになる。ここには繁栄にとり憑かれるのと同様の構造が見られる。

もちろん繁栄は幸福の増進を伴うこともある。だが、たとえ不幸の方を増進させたとしても、栄華を勝ち取る夢は諦められないのである。

新石器時代の成長パラノイア

歴史学者の川北稔氏は、成長しなければならないという強迫観念を成長パラノイアと名づけた。成長パラノイアは、諸国併存体制[24]に置かれていた近世・近代のヨーロッパで、繁栄と軍拡が競われる中で誕生している。

諸国併存体制は、イギリス出身の歴史学者エリック・ジョーンズの言葉で、小国が乱立し覇権を争う状態を意味する。

新石器時代にも、言わば諸部族併存体制が発生し、部族間で軍事力と繁栄を競い合うような成長パラノイアが起こっただろう。我が部族は隣の部族よりも、広い農地を有し多くの住人を養い、強い戦力を持たなければならないというあんばいにである。戦力で凌駕した部族が他の部族を征服し吸収していくと、その地域には一つの部族しか残らない。権力の自然独占とも呼ぶべきことが起こる。

部族間や国家間の競合でも、およそ規模の経済が働き得るからだ。当たり前のことだが、戦闘員の人数の多い方が戦争に勝つ可能性は高い。イギリスの技術者フレデリック・ランチェスターは、第一次世界大戦の始まる1914年にランチェスターの法則を発表した。

その一次法則によれば、刀剣や弓矢などを使った近代以前の戦闘では、生存者の人数は戦闘員の人数の差によって決定される。100人の軍隊と80人の軍隊が激突し、いずれかが全滅するまで戦い続けるならば、100－80＝20という計算により、100人の軍隊が20人だけ生き残って勝利する。ただし、個々人の戦闘力など人数以外のファクターでは両者に違いはないとしている。

二次法則によれば、銃などを使った近代的な戦闘では、生存者の人数は、戦闘員の人数の二乗の差の平方根によって決定される。１００人の軍隊と80人の軍隊が激突した場合、$\sqrt{100^2-80^2}=60$という計算により、１００人の軍隊が60人だけ生き残って勝利する。

近代以降では一つの銃で何人も射殺できるので、人数の多い軍隊が格段に有利となるのだが、近代以前であっても人数の多い軍隊が勝利する可能性が高いことには変わりない。

そうすると、古代において、より大きな部族が形成する集落は他の部族をさらに吸収して巨大化することになる。集落は都市国家へ、都市国家は領域国家へと発展し、領域国家間の競合を経て最終的には帝国が世界全体を支配する。

チグリス・ユーフラテス川や黄河などの大河の周辺では、大規模な灌漑《かんがい》（農地に水を供給するための水路を作ること）が行われ、早くから都市国家が出現したのは承知の通りだ。官僚制の発達も見られ、ドイツ生まれの経済史家カール・ウィットフォーゲルは、そうした社会を「水力社会」と名づけた。

大規模な灌漑を行うには、多くの人々が集団として組織化されていた方が有利となる。ノースは、ウィットフォーゲルの考えをこう解釈している。

ウィットフォーゲルによると、大規模な灌漑工事を通じて中央集権国家が誕生した「水力社会」では、総合的な水利システムが分割できないために規模の経済が働き、事実上の自然独占が起きていた

――ノース 『経済史の構造と変化』[25]

したがって、水力社会ではそれだけ他の社会よりも、都市国家に続いて、領域国家や世界帝国が出現するのが早くなる。

メソポタミアでは、紀元前５０００年頃にエリドゥ、紀元前４０００年頃にウルクといった都市国家が出現し、紀元前２３５０年以降、アッカド、バビロニア、ヒッタイトなどの領域国家を経て、アッシリア、ペルシャといった世界帝国が中東地域を支配するようになった。

中国では、都市国家は「邑《ゆう》」と呼ばれており春秋時代まで続いていたが、戦国時代には領域国家どうしの競合となり、その競合を勝ち抜いた秦が帝国として中国一帯を支配した。

帝国は世界のおよそすべてを領有しているので、経済学でいう独占状態だ。この場合の世界というのは、メソポタミア世界、東アジア世界といった各地域を意味しており、地球全体という意味ではない。

一たび帝国が完成の域に達すると、競合する相手がいなくなるので、成長パラノイアは消滅し世界は安定を取り戻す。帝国を繁栄させようという意思が完全に消滅するわけではないが、軍事力を拡大する必要はなくなり、経済を発展させなければならないという強迫観念は雲散する。

権力が皇帝などの支配者に集中することは必ずしも悪いことではない。世界帝国の完成にまで至ると、戦争は起こりにくくなり、狩猟社会よりも殺害される確率が格段に少なくなる。ようやくのこと農耕化のもたらす害悪を相殺できるだけの安全を手に入れられるのである。

必ずしも単線的ではないにせよ、歴史は世界が帝国化する傾向を示しており、権力についてはおよそ自然独占が成り立つ。ところが、帝国化をまぬがれ続けた世界があって、それがヨーロッパだ。ヨーロッパは水力社会を持たなかったし、地理的条件により帝国が形成されにくかった。

持続する諸国併存体制の中で収まることのない成長パラノイアは、近代におけるヨーロッパの躍進を可能にし、世界の次なる大分岐を引き起こしている。

本章のまとめ

Summary 5

- 会話ができるようになったことで、知識利用性が格段に高まって、現生人類は繁栄した
- 紀元前9000年頃から始まった農耕革命によって生産構造が変化した
- 農業中心の経済では土地と労働が生産に必要な主なインプットである
- 農業中心の経済では地域ごとのGDP（総摂取カロリー）は増大する
- その分、子供を増やし人口が増えるので、1人当たり所得（摂取カロリー）は増大しない（マルサスの罠）

- 農耕社会に移行した地域と狩猟採集を維持した地域とで「新石器時代の大分岐」が生じた
- 農耕は、戦争や飢餓、疫病、長時間労働、椎間板ヘルニアなどの様々な苦痛を人類にもたらした
- 繁栄と軍拡の競合が起こって、人類史上の最大の愚行である農耕革命が進行した
- 繁栄の競合はある程度は合成の誤謬であり、ゼロサムゲームだ
- 軍拡の競合はほぼ完全に合成の誤謬であり、ゼロサムゲームだ

The Pure Mechanized Economy_Chapter 6

第6章

工業化時代の大分岐

――なぜ中国ではなくイギリスで産業革命が起きたのか

知っているだろうか？　中尉！　ロンドンが村だった頃、アラブ人が築いたコルドバの都市には2マイルにわたって街灯があったことを

――『アラビアのロレンス』[26]

1 大分岐論争

ペストが蔓延すると豊かになる

軍拡だけでなく繁栄の競合が巻き起こって、農耕という人類史上最大の愚行が推進されたのではないか、というのが前章の要点だ。

愚行とはいうものの、個々の集団にとっては合理的であり、合成の誤謬ゆえに全体としては不合理な結果がもたらされている。これはそのまま、人類が長い間、最低生存費水準（生存水準）を大きく上回る豊かさを手に入れられなかった理由でもある。

図6・1のように、近世まではマルサスの罠に陥っていたがために、1人当たり所得は多少の変動を見せつつも長期的には増大していない。

図6・1　**工業化時代の大分岐**

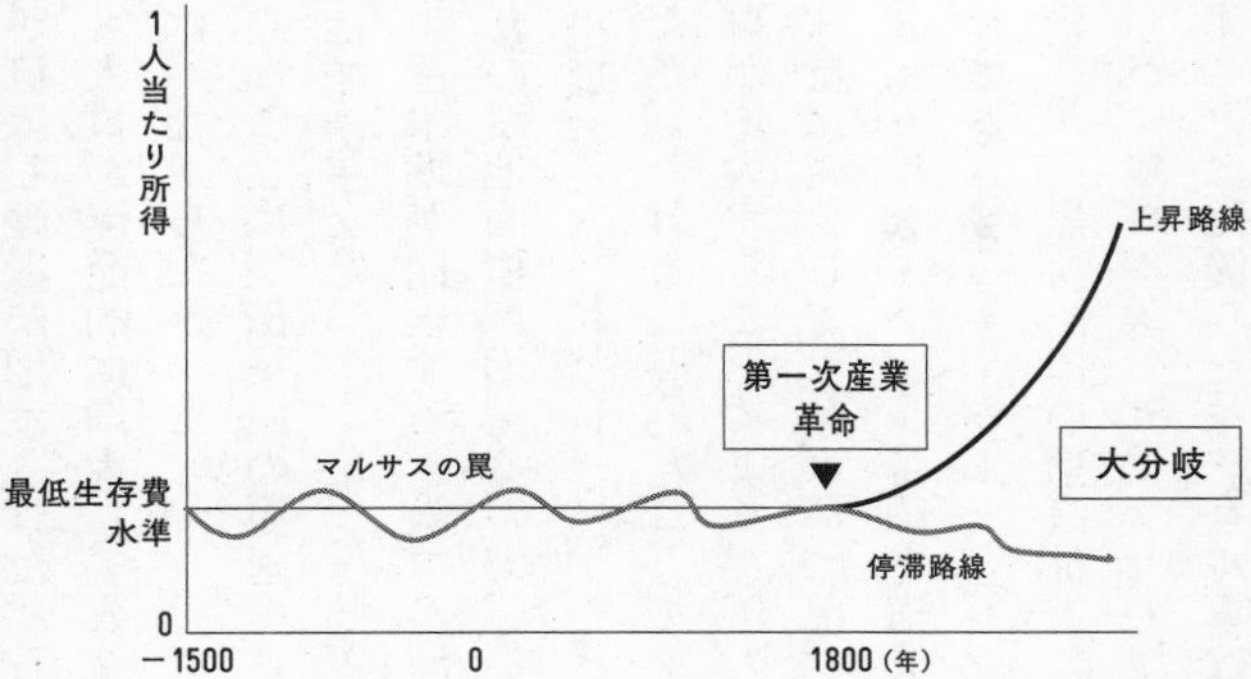

出所：グレゴリー・クラーク『10万年の世界経済史』（2009）を基に作成

農耕の歴史を振り返ってみると、田畑に水を導き入れる灌漑を行ったり、山林を切り開く開墾を行ったりといった、穀物の収穫量を増大させるための涙ぐましい努力がなされてきた。

それでも、人々は一時的にしかより豊かで幸福な生活を送ることができず、人口が増大することにより、1人当たり所得は元の生存水準に戻っていった。

例えば、16世紀頃に新大陸からヨーロッパへもたらされたジャガイモは、小麦の3倍の生産性があった。アイルランドでは特にジャガイモの栽培が盛んになったが、人口も3倍ほどに増大し、生活水準はほとんど向上しなかった。

清朝の中国でもサツマイモやトウモロ

コシが流入し食糧が増産された。しかし、ここでも人口が爆発的に増大し、人々の生活向上にはつながらなかった。

皮肉なことに、伝染病の蔓延や戦乱で人が大量に死亡すると、1人当たり所得が増大し、生活水準が向上する。人口が減ると1人当たりの耕地面積が増えるので、その分個々人の摂取できる穀物の量は増大するのである。だが、それも一時的なことであり、やがて人口が増大することにより、1人当たりの食い扶持は減少して生存水準に戻る。

1346年、モンゴル帝国を構成する国家の一つであるジョチ・ウルス（キプチャク・ハン国）が、黒海沿岸の通商都市カッファを包囲した。難攻不落のカッファの城塞を攻め落とすことに難儀したモンゴル軍は、カタパ

ロンドンのペスト

1665年にロンドンで起きたペストの大流行。7万人以上が命を落とした（©Granger／PPS通信社）

ルト（投石機）で、ペストで死んだモンゴル兵士の死体をカッファ城内に投げ込んだ。

この「生物兵器」は功を奏して、瞬く間にカッファの街にペストが蔓延した。そればかりでなく、カッファから逃れたジェノヴァ商人によってヨーロッパにペストが持ち込まれ、最終的にはヨーロッパ人の3分の1が死亡した。

それによって農民の賃金は2倍ほどに跳ね上がり、生活水準も向上した。ところが、人口は徐々に増大し16世紀には14世紀のペスト大流行以前の水準に戻り、賃金の方も元の水準に復してしまった。

マルサスの罠からの脱却

このような人口と生活水準の関係を根本的に覆してしまったのが、第一次産業革命だ。トマス・ロバート・マルサスが『人口論』を著した頃までは、どの地域でも人類は自らの目覚ましい繁殖力によって貧しい暮らしを余儀なくされていた。ところが、ちょうどその頃、マルサスの罠からの劇的な脱却が起こり始めていた。

より正確にいうと、近世（1500～1800年）のイギリスやオランダでは、年々1人当たり所得がわずかながら増大していた。だが、マルサスの罠からの本格的な脱却が果たされるのは、産業革命以降のことだ。

産業革命期のイギリスでは、人口がかつてない勢いで増大したが、それを振り切るほどのスピードで生産量が増大し、1人当たり所得が増大した。

図5・1に表されているように、農業中心の経済では、生産活動に必要な主なインプット（投入要素）は土地と労働で、アウトプット（産出物）は農作物だ。当たり前だが、人間は土地を作り出すことができない。したがって、開墾したり、二毛作（一年に稲と麦などの二つの作物を栽培すること）を取り入れたりしたところで、おのずと生産量には限界がある。

それに対し、図6・2のように、工業中心の経済である機械化経済では、生産活動に必要な主なインプットは機械と労働で、主なアウトプットは工業製品だ。

つまり、機械そのものも工業製品であり、人間の手によって作り出すことができ

図6・2 機械化経済の生産構造

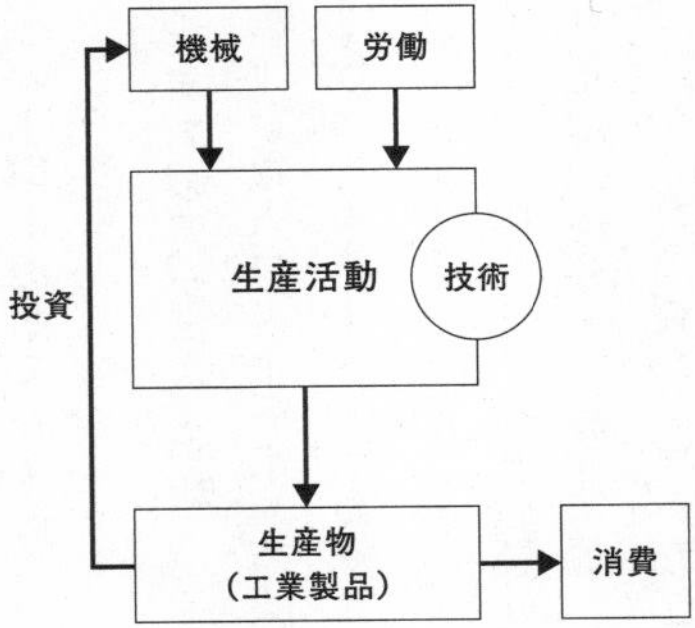

出所：筆者作成

出せる。

る。アウトプットのうち、家計が消費する以外の部分は投資というが、投資することにより機械（資本）を増やすことができる。そうすると、より多くの工業製品を作り出せる。

このような循環的なプロセスにより、機械（資本）は無際限に増殖し、生産量も無際限に増大していく。これが要するに産業資本主義というものだ。このプロセスは、マルクス経済学では「資本の自己増殖運動」などと言われている。

技術進歩によって機械の生産効率は上昇するが、それとともに、機械が絶え間なく増殖していくことによって、GDPの持続的な成長が可能となる。

19世紀の欧米諸国が持続的に経済成長する路線をたどり出した一方で、他の国々はまた別の路線に乗っていた。図6・1の1人当たり所得を表すグラフは、産業革命期において、ワニが口を開いたみたいに二手に分かれている。イギリスをはじめとした欧米諸国の経済は、工業化し機械化することによって上昇路線をたどった。それに対し、アジア・アフリカ諸国などの経済は停滞路線をたどり、欧米諸国に収奪されることによりむしろ貧しくなった。

ポメランツの大分岐論

こうして世界は豊かな地域と貧しい地域に分かれたが、この開きは「大分岐」（大いなる分岐、Great Divergence）と呼ばれている。この言葉は、アメリカの歴史学者ケネス・ポメランツが2000年に出版した『大分岐』（名古屋大学出版会）に由来する。

ポメランツによれば、18世紀、中国の長江河口のデルタ地帯（巨大な三角州がある地帯）ではイギリスと同様に、市場経済の発展が見られた。

1750年くらいまでは、イギリスと長江デルタの生活水準は拮抗していたという。それにもかかわらず、イギリスは1人当たり所得が年々増大するような上昇経路をたどっていき、中国は停滞路線をたどっていった。

中国ではなくイギリスが世界に先駆けて、国民所得が年々増大していくような経済に移行できた理由は、石炭が比較的採掘しやすい位置にあったことと、広大な植民地を持っていたことにあるとポメランツは言っている。

ジョゼフ・ニーダムによれば、産業革命の最大の原動力となった蒸気機関についても、中国人は昔からその原理を知っていたし、実際に作成すらしていた。ただ、見世物にしていただけで、生産の現場で役立てることをしなかった。

それは、経済や機械技術の発達していた長江デルタの近辺では石炭が埋蔵されていなかったからだとポメランツは説明する。現在の中国では、石炭の約60％が山西省や内モンゴルといった中国北西部に埋蔵されており、長江デルタを含む南部には2％も埋蔵されていない。

もし、長江デルタの機械技術と北西部の石炭を結びつけることができれば、蒸気機関を起爆剤にしたイギリス同様の産業革命を引き起こせたはずだ。ただ、両地域が遠く離れているために、石炭を燃焼させて蒸気機関を動力として活用することを中国人は思いつかなかった。

逆に、イギリスでロンドンから遠く離れた地域に石炭が埋蔵されていたら、世界に先駆けてテイクオフ（離陸）を果たすことはなかっただろう。テイクオフというのは、アメリカの経済学者ウォルト・ロストウの言葉で、伝統的な社会から工業社会への決定的な転換点を迎えることだ。

イギリスは、幸運な地理的条件を有していたからこそ、最初の工業国という栄誉に浴することができたとポメランツは論じているわけだが、それは果たして妥当な説明だろうか。

大分岐は偶然の産物か

ポメランツのこうした説明からは違和感が拭えない。炭田の位置という偶発的な要素がそれほど重要であるならば、1800年頃の欧米諸国は科学技術の面で上り調子ではなかったということだろうか。あるいは、上り調子だったけれど、産業革命はそれとはあまり関係がないということだろうか。

欧米人が他の地域の人々よりも知能が高かったなどと主張する学者は、今やほとんどいない。いたとしても、人種差別主義者として、大学や研究所をクビになるに違いない。古代ギリシャ・ローマからの繁栄が近代に至るまで脈々と続いているなどという妄言を吐く論者も、かなり希少となった。

ヨーロッパのアジアに対する優位性を1500年頃、あるいは1000年頃にさかのぼる論者なら今もいる。だが、最近の流行りは、ヨーロッパ中心主義への反動なのか、産業革命以前のヨーロッパはアジアに優越していたわけではなく、産業革命はヨーロッパ、とりわけイギリスにとって僥倖にすぎなかったという論調だ。しかし、ヨーロッパ人がもともと優秀者だったという主張と逆方向ではあるが、それもまた不自然ではないだろうか。

石炭を燃焼させて蒸気機関を動力として活用するワットのアイデアは、イギリスの地理的条件ゆえに湧き出たものであり、決してイギリス人の技術レベルや知的レベルの高さが要因ではないものとしよう。

そうだとするならば、蒸気機関以外の発明が当時の中国で盛んになされていてもよさそうだ。ワットが蒸気機関を発明した1776年からアヘン戦争が起きて清朝中国が列強の食い物にされ始める1840年までに、シャープペンシル、蒸気機関車、ガスレンジ、聴診器、写真、内燃機関、万年筆、発電機、冷蔵庫、ミシンなどが発明されている。

中国人の手によるものは一つとしてない。中国びいきと批判されることのあるニーダムすらも、それらが中国で発明されたとは述べていない。シャープペンシルと蒸気機関車、万年筆、ミシンはイギリス人によって、他はイギリス人以外のヨーロッパ人によって発明されている。

1800年頃のイギリス人だけがヨーロッパ人の中で発明に長けていたというわけではなさそうだ。ともあれ、炭田が近くにさえあれば、中国でも産業革命が起きていたという主張には、無理がありはしないだろうか。

あるいはまた、第一次産業革命が偶然イギリスで起きたとするならば、内燃機関や電気モータによって引き起こされた第二次産業革命の方は、中国で起きる可能性の片鱗くらいはあってもよさそうだ。だが、たとえ中国が列強の食い物にされなかったとしても、とても起こりそうもない。

欧米諸国と他の地域との分岐を大分岐と呼び、イギリスと他のヨーロッパ諸国との分岐を小分岐と呼ぶ語法もある。それに従って言うと、小分岐にはポメランツの説明が当てはまる可能性があるが、大分岐の説明としては妥当ではないのではないか。

だからといって、ヨーロッパ人が本質的に他の民族に比べて優越していると主張するつもりはもちろんない。長い歴史の中で、中国は世界的な超大国であり続けたし、インドや中東地域はヨーロッパよりも繁栄していた。

マルサスの罠に陥っていた時代の1人当たり所得は、地域ごとほとんど違いはない。ただ、地中海以北のヨーロッパは社会全体としては常に貧しく、秦の阿房宮《あぼうきゅう》のような巨大な宮殿は、近世以前には見られない。パリの近郊にベルサイユ宮殿が建てられたのは17世紀、ロンドンにバッキンガム宮殿が建てられたのは19世紀のことだ。

1500年頃から貧しいヨーロッパは、豊かなアジアに対する猛烈なキャッチアップを始めた。少なくとも科学技術の面では1700年頃に追い越し、生産に役立つ実用的な技術についても1800年頃には追い越したというのが私の見立てだ。

ヨーロッパがそのように躍進したのは、突然変異によってヨーロッパ人のＩＱが爆上がりしたからではもちろんなく、そこには地理的条件が深く関わっている。地理的条件は、大分岐に直接影響を与えたのではなく、大分岐に至るまでのヨーロッパの躍進に影響を与えたのである。

2 地理的条件が繁栄を決定づける

なぜユーラシア大陸が繁栄したのか？

ユーラシア大陸が南北アメリカ大陸よりも「繁栄」した地理的条件は、ジャレド・ダイアモンドが『銃・病原菌・鉄』で明らかにしている。スペインの軍人フランシスコ・ピサロが180人あまりの兵士を率いて、その10万倍近くの人口を抱える南米のインカ帝国を攻め滅ぼすことのできた理由を、鮮やかに解き明かしているのである。

人類が約6万年前に出アフリカを果たしてから、最初に降り立った大陸はもちろんユーラシア大陸だ。この大陸で人類は狩猟の技術を磨くが、動物の方も人類を恐れ警戒するようになった。それゆえに、ユーラシア大陸の大型哺乳類は狩り尽くされることがなかった。

定住革命と農耕革命を経て、人々は紀元前8000年頃から牛や豚を家畜にするようになる。家畜は肉や乳とともに、結核や天然痘などの病原菌を言わば「死の贈り物」として私たちに授けてくれた。多くの伝染病は、牛や豚などの家畜由来なのだ。犬や猫を飼っている人は、どんなに愛おしく思っても彼らとキスしない方がいい。

人類は、約2万年前にユーラシア大陸からベーリング海峡を渡ってアメリカ大陸に上陸した時[27]には、初めから高度な狩猟技術を持っていた。そのため、アメリカ大陸では多くの動物が狩り尽くされ、わずかにアンデス山脈でアルパカやリャマが家畜にされた程度だ。それゆえ、アメリカ大陸には、天然痘、結核、はしか、インフルエンザなどの家畜由来の疫病は存在しなかった。

コロンブスなどの旧世界の人々が新世界に到達して以降、抗体を持たない新世界の人々の間に天然痘は瞬く間に蔓延した。

おまけに内乱でインカ帝国は衰退していたし、ピサロらスペイン兵士のまたがる馬と操る鉄の武器は、インカの人々を大いにおののかせた。新世界では、馬は1万年前

インカ帝国の征服

1531年、スペインの軍人フランシスコ・ピサロ率いる兵士はインカ帝国に進軍した（©Granger／PPS通信社）

に既に絶滅していて見たこともなかったし、鉄を利用する技術もなかった。

ユーラシア大陸は東西に長いのに対し、アメリカ大陸は南北に長い。同じ緯度であれば、東西に離れていても、気候が似ているので、同じ穀物を生育することができる。反対に、緯度に差があると気候が異なるので、同じ穀物が生育できない可能性が高い。

したがって、農耕技術は東西には伝搬しやすいが、南北には伝搬しにくい。実際、ユーラシア大陸では農耕技術の伝搬がスムーズで、多くの地域で早くから農耕が始まり、文明を発達させていた。それに対し、アメリカ大陸では、農耕技術の伝搬がゆっくりで文明の発達は遅かった。それゆえ、鉄の利用や銃の発明には至らなかった。

かくして、銃、病原菌、鉄によってインカ帝国は滅んだのである。これらのリストに、馬や文字を加えてもいいだろう。メキシコで栄えたオルメカ文明やマヤ文明には文字はあったが、それらはインカ帝国のあったペルーやボリビアの辺りまでは伝わっていなかった。

スペイン側は書物などによって新世界の情報を得ることができたのに対し、インカ側は、文字情報を通じてスペイン人の動向を知ることはできなかった。

やはり、南北には技術は伝搬しにくいのである。おまけに、北米大陸と南米大陸の間は狭い陸橋でかろうじてつながっているにすぎず、大勢の人々の往来に適していない。

『銃・病原菌・鉄』で論じられているのは、病原菌と馬を除けば、知識利用性つまり知識へのアクセスのしやすさの問題だ。知識の生み出されやすさを意味する知識創造性（ナレッジ・クリエイティヴィティ）とこの知識利用性が、歴史における国々の興亡において重要な役割を果たしている。

中国人が銃を発明できたのは、人口の多さゆえに新しい知識や技術が生み出される可能性が高かったからだ。それから、第1章で述べたように宋朝の中国が絶えざる戦争状態に置かれていたからだ。

東西に長いユーラシア大陸は知識が伝播しやすく、知識利用性が高い。それがためにスペイン人は、中国人の発明した銃を無防備なインカ人相手にぶっ放すことができた。

人々がよりまばらに住んでいた当時のアメリカ大陸は、知識創造性が低く銃の発明にまで至らなかった。おまけに、南北に長いアメリカ大陸は知識利用性が低く、北米大陸で生み出された文字ですら南米大陸に伝達されなかった。

文字はそれ自体、知識利用性を高めるもので、音声言語に続く人間が手にした革命的な情報通信手段であった。文字の次が出版物、その次にラジオ、テレビ、インターネットと続いている。

肩車効果を発揮しやすかった中国とインド

ダイアモンドは、ユーラシア大陸が技術や軍事力の面で南北アメリカ大陸を凌駕した理由を明らかにした。他方で、ユーラシア大陸内で繁栄した土地とそうでない土地では、どのような地理的条件の違いがあったのだろうか。

近世以前におけるこの問題を考える際に鍵となるのは、耕地と交易の二つだ。中国とインドは主に耕地面積の広さによって、中東と地中海は主に交易によって繁栄した。

改めて言うまでもないことだが、肥沃な土地は多くの人口を養える。中国とインドは耕地に適した土地が広く、有史以来今日に至るまで、その人口はおよそ一位と二位を保っていた。

先に述べたように、人口が多ければ、それだけ発明や発見を行う人の人数も多くなり、知識創造性が高くなる。つまり、新しい知識が生み出されやすくなる。加えて、既存の知識は新しい知識を生み出しやすくする。これは、肩車効果と呼ばれており、「もし私が他の人より遠くをみているとすれば、それは私が巨人の肩の上に立っているからだ」というアイザック・ニュートンの言葉を語源としている。「巨人の肩に立つ」とは、偉大な先人たちの積み上げた知識を参照することを意味する。そうすれば、自分で一からすべて考えるよりも発見はたやすくなる。

ある地域の人口が多ければ、それだけ生み出される知識が豊富となり、そうした知識へアクセスしやすくなるので、さらに知識が生み出されやすくなる。

したがって、人口の多さは知識創造性を直接高めるだけでなく、知識利用性の高まりを通じて間接的にも知識創造性を高めることになる。中国で数々の発明がなされたということは、第1章で述べた通りだ。

数学、天文学、医学の発達も著しかった。例えば、魏の劉徽《りゅうき》は263年に『九章算術』（中国最古の数学書）の注釈書を著した。その中で円周率を3・14159としたが、これは1000年近く後にイタリアの数学者レオナルド・フィボナッチが導いた3・1418より正確である。

数学の定理の中には「中国」の名を冠した「中国の剰余定理」もある。南北朝時代に編纂された数学書『孫子算経』には、「3で割ると2余り、5で割ると3余り、7で割ると2余る数は何か」という問題とその解法が掲載されている。この解法を一般化したのが、「中国の剰余定理」だ。

この定理は、南宋（1127〜1279年）の数学家である秦九韶《しんきゅうしょう》によって示されており、ヨーロッパでは600年ほど後の19世紀になってようやくのことドイツの数学者カール・フリードリヒ・ガウスによって「発見」されている。

宋朝中国の華やぎと長いその後

中国の科学技術および経済の発達は、とりわけ宋の時代（960〜1279年）において著しい。江戸時代生まれの東洋史家である内藤湖南《こなん》が初めて提唱したように、中国はこの時代、世界に先駆けて近世を迎えた。君主により一元的な独裁が行われ、経済は自由化され、庶民の文化が台頭したのである。

それまで中国では、商業活動は政府が指定した城内の「市」でしか行うことができず、夜間の売買も禁止されていた。宋代にはそうした制限が解かれたため、商業活動が活発になり都市化が進み、北宋の首都である開封《かいほう》の人口は100万を超えた。行政府のある都市ばかりでなく、鎮市《ちんし》・草市《そうし》などと呼ばれる郊外や農村部の市場でも商取引が盛んになり、山東省済南では世界最初の広告が現れるに至った。

中国で貨幣不足は銭荒《せんこう》と呼ばれており、経済成長著しい宋の時代にとりわけ顕在化した。経済学では、経済が成長するのに応じて世の中に出回る貨幣の量も増やさなければならないと考えられており、そのような貨幣を成長通貨という。

ただし、成長通貨が十分でないと、長期的なデフレ不況が発生し、経済成長が停滞するというのは、かなりマイナーな学説だ。多くの経済学者は、デフレ不況を短期的な問題として限定しているが、私はこのマイナーな学説を支持している。

宋朝政府は、銅銭が不足して成長通貨を十分に供給することができず、その穴を埋めるために世界で最初の紙幣、交子《こうし》を発行した。紙幣の導入によって貨幣の流通量は十分増大し、経済停滞を免れるとともに、分業が進み市場経済が発達した。

内藤湖南は、『東洋文化史』でこう述べている。

経済上においても著しき変化を来した。唐代では有名な開元通宝の鋳造を行い、貨幣の鋳造は引き続き行われしも、その流通高は割に少ない。貨幣の流通が盛んになりしは宋代になってからである。唐代は実物経済というわけではないけれども、多く物の価値を表す貨幣の利用を、絹布《けんぷ》によりて行った。しかるに宋代にありては、絹布・綿などの代わりに銅銭を使用することとなり、さらに発達すると紙幣さえ盛んに用いられた

——内藤湖南『東洋文化史』[28]

そのまま、中国が貨幣経済をさらに発達させて、世界最初の産業革命を引き起こしてもよさそうなものだが、そうはならなかった。

宋朝中国では、中国絹織物や陶磁器の生産は盛んだったが、いずれも手工業であり、機械の産業利用はほとんど行われていなかった。当時の複雑な機械というと水力時計と天文計器があるくらいだ。

宋の時代に中国は産業革命の一歩手前まで来ていたとも言われているが、それはさすがに大げさだろう。ただし、宋朝がさらに300年ほど続いていたら、ひょっとす

ると蒸気機関の産業利用が行われていたかもしれない。「モンゴルによる宋の侵略が中国の資本主義への移行を阻んだただひとつの理由であるとは考えられないものの、その重要な変数とは考えられよう」[29]。

モンゴル・南宋戦争によって命を奪われた中国人は、全人口の3分の1にあたる3500万人と推定されている。ただし、これはモンゴル軍によってもたらされたペストによる死者も勘定されている可能性がある。

中国は、広大な面積の耕地を有するという有利な地理的条件を備えていたが、大規模な内乱が発生したり、大陸にあったためにたびたび遊牧民族の侵攻を受けたり、カタストロフィックな疫病が蔓延したりした。

唐の時代に起きた安史の乱では3600万人、明朝滅亡期の混乱では2500万人、太平天国の乱では2000万人がそれぞれ、戦闘やそれに伴う飢餓、疫病で命を奪われたという[30]。なお、太平洋戦争における日本人の死者は310万人ほどである。

戦争は基本的には技術の発達を促すが、戦争があまりにも国土を荒廃させると、それまで積み上げられてきた文化や技術のアーカイブが失われ、知識利用性が一時的にだが劇的に低下する。

北宋の蘇頌が作った巨大な水力時計は、金が北宋を滅亡させた時に破壊され、その作り方も分からなくなり、ロストテクノロジーとなった。

日本は大陸と隔てられているために、モンゴル軍やペストによる破滅的危機を逃れられ、その分だけ経済発展を先へと進めることができた。

古代の日本は、交易によって中国文明の繁栄のおこぼれに預かることができたものの、海で隔てられている分タイムラグが発生するので、後進地域に甘んじていた。ところが、造船技術が進むにつれて、中国で生まれた科学技術や文化にアクセスしやすくなり、知識利用性は高まり島国のデメリットは減っていった。

他方で、日本は王朝交代期の中国でたびたび生じたような国土の荒廃を経験することがなかったので、技術や文化の蓄積が進み、肩車効果が生じやすくなっていた。それは、ドーバー海峡でヨーロッパ大陸と隔てられた島国イギリスが勃興するのと軌を一にしている。

交易が生んだ中東と地中海の繁栄

中東は、中国やインドほどの人口を有していないにもかかわらず、古代ギリシャ文明の出現以前には世界で最も先進的地域であり続け、その後も13世紀のモンゴル軍侵攻までは繁栄を続けた。それはなぜだろうか。

この地で最初に農耕が始まったのは、肥沃な三日月地帯に作物化できる植物が豊富にあったからというのが一般的な見解だ。

農耕が始まれば、王や貴族、商人、兵士など非農業人口を養うことができるようになるので、文明が高度化する。それゆえに、中東が先進地域であり続けたというのは、妥当な説明だろう。

だが、中国やインドほど耕地に適した土地が広くなかったので、膨大な人口を抱えているわけではない。したがって、人材の集積地ゆえの知識利用性や知識創造性は、それらの地域ほど高くはない。

中東が繁栄したもう一つ大きな理由として、この地がヨーロッパ、アフリカ、アジアの結節点であるからということが考えられる。陸路を伝ってこれらの大陸（ないし亜大陸）間を行き来するには、およそ中東地域を通り抜ける必要がある。

この地には、交易の中継点になり得る地理的条件が備わっているというわけだ。そして、交易では財とともに知識が交換される。

交易の中継点でもまた知識利用性は高く、それゆえに知識創造性も高くなる。知識が集積され、集積された知識がまた新しい知識を生み出す。

かくして、メソポタミアでは、ビール、都市、青銅、車輪、運河、鉄器、石畳、石鹸、チャリオット（戦闘用の馬車）など様々な物品が発明された。
農耕が人類史上最初に開始されたことすらも、ひょっとすると交易がこの地で盛んになされたせいかもしれない。農耕以前の交易というのは想像がつかないかもしれないが、最近の研究では旧石器時代にヨーロッパとアジアの間で、琥珀や黒曜石、貝殻などが交易されていたのではないかと考えられている。「初めに交易ありき」であり、交易が農耕や都市に先んじていた。交易が農耕を生み出したという明確な証拠はないが、そういう可能性もある。いずれにしても、交易の中継地である中東地域は、知識利用性が高く文明が発達しやすかった。

ところが、造船技術が進むにつれて地中海の交易が盛んになり、繁栄の中心は中東からギリシャ、続いてローマへと移っていった。

地中海は世界最大の内海であり、波が比較的穏やかなので、羅針盤も望遠鏡もない時代に航海するのに適していた。中東が陸路の交易によって栄えたのに対し、地中海は海路の交易によって栄えたのである。

紀元前3000年頃から、エーゲ海のキクラデス諸島やクレタ島、ギリシャの南端のペロポネソス半島に出現したエーゲ文明は、オリーブオイルやブドウ酒などの交易によって栄えたが、謎の集団、海の民によって、紀元前1200年頃に滅亡する。ギリシャ地域は部族社会に逆戻りし、紀元前700年頃までの時期は暗黒時代と呼ばれている。

その後フェニキア人がレバノン杉を材料に作った帆船によって、地中海交易は再び盛んになった。フェニキア人からアルファベットを受け継いだギリシャ人は、アテネやスパルタなどのポリス（都市国家）を形成し、前4〜5世紀に最盛期を迎える。

アルファベットのような便利な文字の利用は、知識利用性を高めるが、その文字自体が交易によって伝達したことに注目すべきだろう。インカ帝国に文字が伝わらなかったのとは対照的だ。

アレキサンダー大王（アレクサンドロス3世）がギリシャからインドまでを支配し、ヘレニズムの時代に入ると、エジプトのアレクサンドリアが人口100万人を超える世界最大の都市となり、「世界の結び目」と言われていた。繁栄の中心が中東地域に引き戻されたのである。といっても、アレクサンドリアは地中海沿岸でもあるのだが。

紀元前300年頃、そこに70万冊を超える蔵書を有した巨大図書館が建てられた。70万冊というと想像しにくいかもしれない。アラブのアムル将軍が641年にアレクサンドリアを征服した時に、図書館の蔵書を風呂釜の燃料としてくべたところ、6カ月間まかなえたという。といってもこれは作り話のようだが、70万冊という蔵書の多さを象徴するエピソードである。

ちなみに、東京大学の図書館は900万冊ほどを有しており、アレクサンドリア図書館はその10分の1以下だが、印刷技術の全くない時代にこの蔵書数は驚異的だ。

アレクサンドリアは、幾何学を体系化したユークリッドや「ユリイカ」と叫んで裸のまま風呂から飛び出したアルキメデス、天動説を唱えたプトレマイオスなどの古代の賢人が集まり、当時の学問研究の中心地となっている。

古代において知識利用性を高める手っ取り早い方法は、図書館の建設だった。

燃えるアレクサンドリアの図書館
紀元前300年頃プトレマイオス1世によって建てられ、紀元前47年に火災に遭ったがその後再建された。手前はファロス島の大灯台
（©Science Source／PPS通信社）

図書館そのものは、紀元前3000年頃のメソポタミアで最初に建てられている。

そこに納められた書物は粘土板でできていたが、アレクサンドリア図書館の書物は、筆記がより簡単で持ち運びも便利なパピルス製の巻物だった。ただし、保存が難しくたびたび虫に食われたり、火事で焼失したりした。

粘土板は焼失をまぬがれやすく、そのおかげで私たちは人類最古の物語である『ギルガメシュ叙事詩』の全容を知ることができる。メソポタミア北部ニネヴェの図書館の遺跡から発掘された粘土板に、この叙事詩が刻まれていたのである。

ヘレニズム諸国がローマに滅ぼされると、繁栄の中心は地中海の西側に再び移ったが、476年に西ローマ帝国が崩壊し、7世紀にイスラム帝国が勃興し、アッバース朝(750～1258年)の時代になると繁栄の中心はまたも中東へと引き戻された。

ところが、1258年にチンギス・ハーンの孫のフレグ率いるモンゴル軍が、バグダッド包囲戦でアッバース朝の首都バグダッドを焦土にしてしまった。

最盛期には150万もの住民がいて、産業革命以前には歴史上世界最大の都市だったバグダッドは、戦いから1週間ほどであっけなく城壁が破られて陥落した。80万以上の住人が老人や女子供に至るまでモンゴル軍に虐殺され、モスクや宮殿は破壊し尽くされたのである。

アッバース朝の当時のカリフ（最高指導者）ムスタアスィムは、フレグ総司令官から貴人として尊重され、モンゴル貴族に用いられる絨毯に巻かれたうえで馬に死ぬまで蹴られるというVIP待遇の名誉ある処刑をたまわっている。

医学、天文学、数学、哲学など様々な学問に関する膨大な書物を集めた巨大図書館「知恵の館」も灰燼に帰し、メソポタミア以来の知的遺産の伝承は断ち切られた。

古代最大の図書館であるアレクサンドリア図書館の消失と同じくらい文明にとっては大打撃だ。それ以降、中東地域が世界的な先進地域になったことは一度もない。

ただし、処刑されたムスタアスィムの叔父がエジプトのカイロに亡命し、ムスタンスィル2世としてカリフに就任した。かくしてアッバース朝は存続し、イスラム世界の文化的中心地はカイロへ移ることになる。

バグダッドの学者の中には、インドのデリーに亡命した者もいたので、デリーもまたイスラム文化を継承する都市となった。「しかし、図書館を失っては、学問の府としてバグダッドが放っていた輝きを完全に呼び戻すことは不可能であった[31]」。

3 近世以降ヨーロッパが勃興したのはなぜか

モンゴル帝国がヨーロッパに繁栄をもたらした

1241年、チンギス・ハーンの孫のバトゥを総司令官とするモンゴル軍は、ワールシュタットの戦いでポーランドとドイツの連合軍を敗走させて、ポーランド国土を蹂躙した。ワールシュタットは、ドイツ語で死体の山を意味する。同時期にハンガリーのモヒ平原で行われたモヒの戦いではハンガリー軍を打ち破って、ブダペストの住民を殺戮し尽くした。

東ヨーロッパはたび重なるモンゴル帝国の侵攻により荒廃したが、西ヨーロッパは無傷だった。西ヨーロッパはモンゴル帝国からはむしろ多大な恩恵をこうむっている。中国の高度な文明が、モンゴル帝国を通じて伝わってきたからだ。

もともとヨーロッパは土壌が貧しく、農耕に適した土地は狭く、豊穣の約束された土地ではない。それゆえに、地中海以北のヨーロッパに、人はまばらにしか住んでいなかった。ローマ帝国の支配下に入るまで、パリやロンドンは集落でしかない。

紀元後600年頃の中国の人口が4600万人ほどであるのに対し、全ヨーロッパ（ウラル山脈以西）の人口は、1800万人ほどだ。476年に西ローマ帝国が滅亡した後の混乱により、ヨーロッパの人口は底を打っていた。

そこから人口はゆるやかに増加していったが、14世紀のペスト流行とともに減少に転じ1500年頃に再び底を打つ。その頃から始まる近世という時代において急速に人口が増大する。

近世ヨーロッパは、着実に繁栄へと向かっていた。その最大の引き金となったのが、アメリカの社会学者ジャネット・アブー＝ルゴドのいう13世紀世界システムの成立だ。

これは、パクス・モンゴリカ（モンゴルの平和）の下に発達した世界的な交易のネットワークを意味する。パクス・モンゴリカは、モンゴル帝国がユーラシア大陸の大半を支配したことによってもたらされた。

アメリカの社会学者イマニュエル・ウォーラーステインは近代世界システムの始まりとして16世紀を重視したが、アブー＝ルゴドが16世紀とともに、それより前の13世紀をヨーロッパの転換点として重視した。

13世紀世界システムを通じてヨーロッパが陸伝いに中国文明にアクセスできるよう

になると、中国の人口の多さがもたらす科学技術における優位性は絶対的ではなくなった。

アブー＝ルゴドによれば、ヨーロッパの発展は、13世紀の世界システムを通じて、中国文明の成果を享受したことによっており、やがてそれは近代世界システムの中核として世界の覇権を握ることを可能にした。要するに、ヨーロッパは中国という巨人の肩に乗ったのである。

16世紀の大航海時代以降、ヨーロッパが世界の各文明にアクセスできるようになると、ヨーロッパの技術面での優位性はさらに向上する。羅針盤によって可能になった遠洋航海が、知識利用性を高めたということだ。

13世紀の世界システムにおいて、ヨーロッパは受動的に世界とのつながりを持ったが、近代世界システムでは、能動的に世界とのつながりを持った。もう少しあからさまな言い方をすれば、侵略される側から侵略する側に回ったのである。

モンゴル人はヨーロッパで、タルタロス（地獄）に似た響きを持つタタールと呼ばれていた。ヨーロッパ人はモンゴル軍をまさに地獄の軍勢として恐れたが、中南米のアステカやインカの人々にとっては、侵略してきたスペイン人こそが地獄の軍勢だ。

そのようなヨーロッパの転換を可能にした代表的な物品が、ルネサンスの三大発明だ。前述したように、ルネサンスの三大発明に挙げられる火薬・印刷技術・羅針盤は、すべて中国で最初に発明されている。20世紀半ばにニーダムによってそう主張されるまでは、これらの物品はすべてヨーロッパで発明されたと考えられていたか、起源が曖昧にされていた。実際には、パクス・モンゴリカが可能にした東西間交易によってヨーロッパに伝えられたのである。マルクスは、人々や物品が行き交うことを交通と言ったが、この概念には交易や旅行ばかりでなく、戦争も含まれる。戦争を含む様々な交通によって技術は伝播する。有名なのは、タラス河畔の戦いで唐朝の中国からイスラム世界に製紙法が伝わったことだ。

火薬とともに中国で発明された鉄砲や大砲は、交易ではなく戦争によってヨーロッパに伝えられている。モンゴル軍は中東で使われていた回回砲《かいかいほう》（巨大な投石機）で南宋の襄陽《じょうよう》と樊城《はんじょう》の城壁を破壊し、逆に中国で使われていた鉄砲や大砲でヨーロッパを攻撃している。

大航海時代以降、その鉄砲を使ってヨーロッパは今度は侵略する側に回った。鉄砲は羅針盤（それから病原菌、馬、文字）とともに、ヨーロッパによる中南米支配を可能にし、中国発祥の技術がヨーロッパを世界の覇者にしたというわけだ。

地図6・1 近世帝国

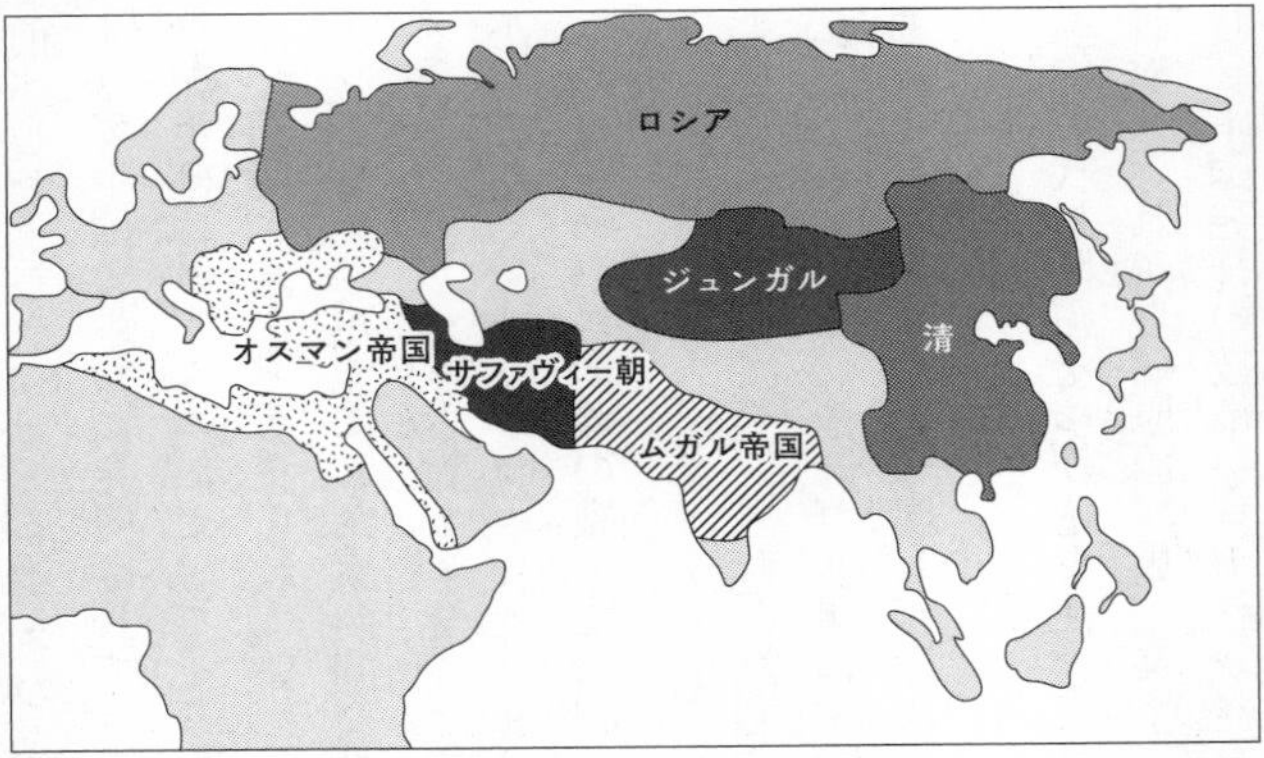

といっても、大航海時代のアジアは、マレー半島、セイロン島、マカオ、フィリピンなどの周辺地域がポルトガルやスペインによって支配されたのみである。ポルトガルやスペインの商人は、これらの地域を拠点とし、アジア交易に参入した。

モンゴル帝国解体後（15世紀以降）のアジアの中核地域には、明朝・清朝の中国、ムガル帝国、オスマン帝国といった近世帝国が築かれ、ヨーロッパの付け入る隙はなかった。イギリスがインド支配を確立したプラッシーの戦いが起きたのは1757年で、アヘン戦争は1840年だ。

産業革命の成果がなければイギリスは中国を打ち負かすことはできなかったし、ヨーロッパと隣接しているがためにある程度産業革命の成果を取り入れることのできたオスマン帝国は、第一次世界大戦まで帝政を存続させることができた。

軍事革命と印刷革命

銃や大砲などの火器が14世紀に伝播してからしばらく後に、ヨーロッパで軍事革命が起こった。15世紀末から16世紀にかけてのことだ。軍事革命によりヨーロッパの軍隊は様変わりし、槍を携えた少数の重装騎兵に代わって、マスケット銃を持った多人数の横列《おうれつ》歩兵がその主力となった。

音楽で即興的要素を減らすのと同様に兵士の戦場での行動もパターンを定められ、行進の仕方や頭《かしら》の向け方があらかじめ訓練されるようになった。「発射、回れ右、弾薬込め、位置移動を、兵隊たちに徹底的にたたきこまねばならない」[32]。

ドン・キホーテがとり憑かれた騎士道は衰退の一途をたどり、兵士はただのコマとなり数量的な存在となった。封建騎士は無規律に近かったが、17世紀には規律訓練を受けた兵士をツリー状に編成した軍隊が現れた。そのプロトタイプが、歩兵と砲兵、騎兵を統合的かつ階層的に組織したグスタフ・アドルフ王率いるスウェーデン軍だ。大砲は当初戦場においてその轟音が敵方への脅しになるという程度の役割しか果たさなかった。ところが、1453年にオスマン帝国のウルバン砲がコンスタンティノープルの堅固な城壁を粉砕し、さらに1494年にフランス王シャルル8世の率いた40門以上の攻城砲がイタリアの城塞を1日で陥落させて、その有効性は誰の目にも明らかになった。

かくして、火器の大量生産、多人数の兵士のための兵站の整備など、戦争には莫大な資金が必要となった。第5章で紹介した「ランチェスターの二次法則」を想い起こしてほしい。近代的な戦闘では人数の多い方が圧倒的に有利となる。そして、当時の戦闘の兵員の不足はもはや一騎当千のつわものでも補い切れない。各兵士に銃を装備させるのにも金が掛かった。主力だった傭兵を雇い入れるのにも、各兵士に銃を装備させるのにも金が掛かった。

軍事革命以降の君主が他国を首尾よく征服するためには、勇猛果敢な兵士よりも、軍隊の編成と維持に費やされる資金が不可欠だったのである。その当時「金こそ戦争の活力」[33]というラテン語の言葉が流行ったという。

防御側もまた、砲撃に耐え得る大掛かりな要塞を建築しなければならず、金が掛かった。その要塞というのは、フランス軍の侵入に対抗して発達したイタリア式の「星形要塞」で、函館の五稜郭のように星の形をしている。

戦争が技術進歩を促進するのは世の常だ。万能の天才でイケメンでもあったという

コンスタンティノープル包囲戦

1453年、オスマン帝国の攻撃により、東ローマ帝国の首都コンスタンティノープルは陥落した（©SPL／PPS通信社）

レオナルド・ダ・ヴィンチの本業は、軍事技術者だった。フランス軍侵攻の巻き添えで、自作の粘土像を破壊されたうえに、避難生活を余儀なくされ、ヴェネツィアの軍事顧問となる。

そしてレオナルドは、蒸気の圧力で弾丸を飛ばす蒸気砲を発明し、戦車や機関銃を考案した。他に、ヘリコプター、自動車、自動織機などのスケッチも残している。

軍事革命は、技術だけでなく数学の著しい発達も促したが、それはこれまでの歴史に見られなかった新しい事態だ。弾道計算や兵士の編成に数学が必要となったのである。「16世紀の軍事教本には、平方と平方根の表が載っているのが通例だった[34]」。

数学は歴史的に、中国、インド、イスラ

ム圏などの各地域でも断続的には発達したが、軍事上の必要ゆえに近世のヨーロッパでは急速かつ持続的に発達し、世界は徹底して「数量化」されて把握されるようになった。

アメリカの歴史学者アルフレッド・クロスビーは、数量化に加えて視覚化を、ヨーロッパが勃興して世界を支配するようになった要因に挙げている。音楽は楽譜に記載され、商取引は帳簿に記録されるようになり、視覚化された。

視覚化と数量化を促進したのは、印刷技術の普及だ。中国で発明されモンゴル帝国を介して伝播し、ヨハネス・グーテンベルクによって再発明された活版印刷は、ヨーロッパでは中国以上に普及した。

活版印刷は、文字を木や金属に彫り込んだ活字を組み合わせ、インクを塗って印刷する技術だ。中国の漢字は今や8万字以上あると言われ、常用漢字だけでも2500字あり、それだけの数の活字を必要とする。英語であれば26文字しかないアルファベットは、活版印刷に向いている。

印刷技術の普及は言うまでもなく、知識利用性を格段に高めた。ニュートンが巨人の肩の上に乗れたのは、出版された書籍を読むことができたからだ。

数量化と視覚化は、科学的に世界を認識するための手段になり得る。それらに加えて分類と分解が、科学的な営みとして近世・近代のヨーロッパで盛んに行われていた。「分類」は、動物や植物、岩石、人種、民族、星に至るまで、森羅万象が対象となった。「分解」は、物体や機械だけでなく人間の身体も解剖されることでその対象となっている。

還元主義に基づき森羅万象が分解の対象にもなり、機械は部品に還元され、生物は細胞に還元され、あらゆる物体は分子・原子にまで還元されて把握されるようになった。

分類は意味ネットワークの“is a”関係を、分解は“has a”関係をそれぞれ示している。第2章で述べたように、こうしたツリー的思考や会社組織、官僚機構、軍隊などのツリー的組織が、ヨーロッパで著しく発達している。

組織力も近代の戦争ではまた重要なファクターとなっている。プラッシーの戦いで、インド側のベンガル太守率いる軍は、イギリス東インド会社の軍に対し兵数も装備も上回っているにもかかわらず、敗走した。ランチェスターの二次法則からすれば、イギリス軍は圧倒的に不利ということになるが、組織力で上回っていたのである。

軍事革命以降、戦争の勝敗を決するのは、騎兵の勇猛さではなく経済力と科学技術力、そして組織力となった。それゆえ、ヨーロッパ各国の主権者は、軍事力を支える経済力の増強のために重商主義政策を採用するとともに、科学技術を振興し、軍隊の組織化、さらには官僚機構の組織化を高度に発達させた。

科学技術力と経済力の絶え間ない発展は18、19世紀に産業革命を発生させるに至り、イギリスをはじめとする西ヨーロッパ諸国の経済は、資本主義（産業資本主義）へと移行した。

ドイツの社会学者ヴェルナー・ゾンバルトがいうように、ヨーロッパの戦争が資本主義を生み出したのである。経済発展は、とりわけ第二次世界大戦後には人々の生活の向上のために促進されもしたが、重商主義の時代にはそうではなく、他国を併呑し蹂躙するために目指された。

ドイツの社会学者マックス・ウェーバーは、プロテスタンティズムの禁欲主義や勤労道徳が資本主義を生み出し、後にはそのような禁欲主義の支えなしに資本主義が自立して営まれるようになったと述べたが、むしろこう言うべきであろう。戦争が資本主義を生み出したが、後には戦争なしでも資本主義の営みが続けられるようになった、と。

なお、ゾンバルトは贅沢が資本主義を生み出したとも主張している。17世紀には奢《しゃ》侈《し》（身分不相応に金を使うこと）を禁止するような法律が廃止されて、ヨーロッパの各国は奢侈を促すような政策をむしろ採用するようになった。

奢侈こそが市場を発展させ、国を繁栄させることに学者や為政者が気づいたからだ。こうして、繁栄と軍拡が国家間で競い合わされるようになり、成長パラノイアが再び誕生したのである。

ヨーロッパ世界経済から近代世界システムへ

中世の戦争は王や領主どうしの小競り合いだったが、軍事革命以降つまり近世以後は、絶対王政下の領域国家どうしが覇権を競い合うようになった。それでも、諸国併存体制は解消されず、帝国が形成されることはなかった。

ウォーラーステインは、ジョーンズのいう諸国併存体制の代わりに世界経済という言葉を用いた。この世界というのは、前述の通り地球全体ということではなく、東アジア世界とかイスラム世界、ヨーロッパ世界といった各地域だ。

日常的な財の交換が行われているこのような広い地域のことを、世界システムという。世界システムのうち、政治的統合のあるものが世界帝国であり、統合のないものが世界経済である。

世界経済は多くの場合、政治的に統合されて世界帝国に変質するが、近世ヨーロッパの世界経済は唯一統合を逃れ、やがて地球上のすべての諸地域を包摂するに至った。ウォーラーステインは、それを近代世界システムと呼んでいる。

17世紀の世界地図を広げると、ヨーロッパ以外のユーラシア大陸は、清朝中国やロマノフ朝ロシアなどの世界帝国（近世帝国）に支配されている。

それに対し、ヨーロッパでは、その大地がアルプス山脈、ピレネー山脈、ドーバー海峡、アルデンヌの森などの自然の障害物で区切られているため、全土を支配する帝国が現れなかった。

今のドイツを中心に神聖ローマ帝国が広がっていたが、フランスの思想家ヴォルテールが言ったように、それは「神聖でも、ローマでも、帝国でもなかった」。内部に分割された300以上の領地を抱え込んでおり、一つのまとまった帝国とは見なせなかったのである。

16世紀にカール5世は、神聖ローマ帝国の統一とヨーロッパにおける世界帝国の形成を目指した。だが、痛風の激烈な痛みとヨーロッパ外の勢力であるオスマン帝国との戦いに悩まされて、果たすことができなかった。

諸国併存体制が果てしなく続いたため、ヨーロッパ地域における完全な平和は、16世紀では10年、17世紀では4年、18世紀では16年だ。[35] 軍事的な競争だけでなく、優れた制度を取り入れた国が他国よりも優位に立てるために制度間競争も行われた。イタリアのヴェネツィア共和国では15世紀に、世界最初の近代的特許制度である発明者条例が制定された。それを真似た専売条例が17世紀のイギリスで公布されて、発明や新規事業に期間限定で独占権が与えられた。

ノースは、私的所有権の確立をヨーロッパ勃興の主要な要因として挙げている。ただ、中国でも私的所有権が甚だ侵害されていたわけではないし、ポメランツがいうように18世紀にもイギリスと同程度の市場経済が発達していた。

しかしながら、私的所有権一般ではなく特許権に限って言うと、ノースの学説は現実に適合するだろう。「産業革命期の技術変化には、前提条件として発明とイノベーションの私的な収益率を上げる所有権導入が必要だった」。[36]

特許制度とそれに象徴されるような発明を称揚する土壌が、ワットの蒸気機関やアークライトの水力紡績機を生み出したことを考えれば、産業革命を引き起こした要因の一つに特許制度が挙げられる。そして、それもまた諸国併存体制がもたらす制度間競争が大元の要因となっている。

諸国併存体制は、一種のリゾームシステムであり、蟻の群体のような群知能でもある。近世のヨーロッパにおいて、個々の国家は絶対王政のようなツリーシステムを構築したが、ヨーロッパの世界システムは、全体としてリゾームシステムを形成しているのである。

ある国が商人や科学者を弾圧しても、彼らは他の国へ亡命できる。そうすると、弾圧した国は衰退し、亡命先の国は繁栄し、前者は後者に戦争に勝てなくなるので、あらゆる国が弾圧を控えざるを得なくなる。これは、蟻の群体が一部破壊されても再形成されるのに類似している。

あるいは、ある国が経済力や軍事力の増大にとって望ましい制度を導入し成功すると、他の国も取り入れざるを得なくなる。こうして広まった制度は、特許制度だけでなく、貨幣制度、銀行制度、法人制度、学校制度、徴兵制度など数限りなくある。

制度間競争は、諸国併存体制（世界経済）のような分権的なシステムの下でこそ起こったのであって、世界帝国のような一つの集権的なシステムの下では実現しない。明朝や清朝の中国では、次々と新しい制度が導入されるなどということは起きようがなかったのである。

ヨーロッパが勃興した理由やイギリスが最初に産業革命を実現した理由は、様々に論じられてきた。ポメランツは、イギリスは広大な植民地や地中の浅いところに石炭を有していたが、中国はそれらを有していなかったという事実を重要視した。

一方、アメリカの歴史学者ロバート・アレンは、イギリスの賃金が世界で最も高かったことを理由に挙げた。確かに、賃金が高ければ、労働者を雇い入れる代わりに機械を導入しようという誘因が生じやすくなる。

それらは、小分岐におけるイギリスの優位性をもたらした多少の要因にはなっているだろう。だが、大分岐において最も決定的なのは、印刷技術とともに諸国併存体制がもたらした軍事的および経済的な競争だ。

17世紀における特許制度の整備そして科学革命、18世紀における近代的な中央銀行制度および貨幣制度の確立など、イギリスをはじめとする欧米諸国がアジア諸国よりも先にテイクオフを果たした要因はいくつも挙げられる。

それらの要因をもたらした根本要因をさらに遡行すると、印刷革命と軍事革命に行き着く。そして、これらの革命がアジアよりもヨーロッパで巨大なインパクトを及ぼしたのは、アルファベットとヨーロッパの地形という地理的条件によっている。

印刷技術はアルファベットと結びついてグーテンベルク銀河系（印刷技術がもたらした活字文化）を形成し、火薬はヨーロッパの分断された地形と結びついて、果てしない軍拡と重商主義、つまり成長パラノイアをもたらした。

アルファベットが普及したのが、その発明者であるフェニキア人が地中海で交易を行っていたからだということを考慮すれば、ヨーロッパが勃興した要因はすべて地理的条件に依拠していることになる。近世に勃興が始まるのは、13世紀世界システムを通じて中国からヨーロッパに優れた技術が伝播したからだ。

宋朝中国における未完の産業革命は、ヨーロッパに引き継がれたとすら言われる。それでは、中国で産業革命が起こらなかったのはなぜだろうか。

4 中国が停滞したのはなぜか

東アジアでは安定と秩序が好まれた

血みどろの総力戦の中で宋朝中国は、銃や大砲を生み出したと先に述べたが、逆に明朝以降の長く続く平和の中で中国の軍事技術は停滞した。

明の軍隊は、国境を脅かす新興の女真族《じょしんぞく》に対し、自前の大砲ではなくポルトガルから輸入した紅夷砲《こういほう》で迎え撃たなければならなかったほどだ。

女真族は明を打ち破り中国に清王朝を立てたが、やはり軍事技術の進歩は滞り、その末期には承知の通りアヘン戦争でイギリスに打ち負かされている。

日本でも戦国時代の末期に軍事革命が起き、ヨーロッパ以上の銃の生産国となった。戦国時代の日本では、ちょうど諸国併存体制が敷かれており、大名は軍事力を増強させるだけでなく、言わば重商主義をとって経済力も増大させていた。続く安土桃山時代は、日本が歴史上軍事的に世界最強だった可能性のある唯一の時代だ。

ところが、江戸時代に軍縮がなされ、軍事革命の成果は捨て去られた。東アジアではイノベーションや経済発展よりも、安定と秩序が好まれたのである。

元朝以降の中国で科学技術の進歩が停滞した原因については、有力な学説は今のところない。既に述べたように、宋から元へ、あるいは元から明へといった王朝交代期に起こった戦争と混乱によって、知識の継承が切断されたことが原因の一つとして挙げられるだろう。

ただし、これは知識水準を一時的に引き下げる要因にはなるが、安定期にも科学技術の進歩が停滞する原因にはなり得ない。

もう一つの原因として、1405年から明の永楽帝が、宦官の鄭和《ていわ》率いる大船団をインドやアラビア半島にまで派遣したにもかかわらず、永楽帝の死後、この航海は廃止され中国が内向きになったことが挙げられる。

ヨーロッパ人は、大航海時代以降、世界中の知識にアクセスして貪欲にそれを吸収した。そうやって貧しいヨーロッパは豊かなアジアに死に物狂いに追いつこうとした。

対照的に、永楽帝以降の中国は他の世界にさしたる関心を払わなかった。後に鄧小平は、永楽帝が亡くなってからの中国は300年間孤立し停滞していたと述べて、改革開放を訴えている。

ある国から他の国へ（あるいはある企業から他の企業へ）知識が拡散することを、経済学ではスピルオーバ（波及効果）という。自国に蓄積された知識のアーカイブにアクセスするだけでなく、他国の知識にアクセスすることによっても、私たちは巨人の肩に乗ることができる。

漢に始まり、唐、宋、元までは、シルクロードなどの経路を通じて、中国は他の地域と盛んに交易を行っていたが、明と清はたびたび海禁政策（鎖国）を敷いて国を閉ざした。

唐の首都の長安、北宋の首都の開封、南宋の首都の臨安《りんあん》、元の首都の大都《だいと》（今の北京）はいずれも国際都市であったが、明および清の時代の首都の北京は、外国人の商人が自由に訪れることのできる都市ではなかった。交易が縮小した明以降には、他国の知識が中国へスピルオーバすることは少なくなっている。

中国で「文字《もんじ》の獄《ごく》」と呼ばれる極刑を伴った言論弾圧を行ったのも、明と清の時代だ。名君と讃えられた清朝の康熙帝《こうきてい》、雍正帝《ようせいてい》、乾隆帝《けんりゅうてい》はいずれも英邁《えいまい》な君主であったが、その半面気に入らない者を難癖つけて、最も残酷な刑罰である「凌遅処死《りょうちしょし》」に処する暴君でもあった。

近世以降のヨーロッパでも宗教弾圧や言論弾圧が起こったが、前述したように弾圧の少ない国へ逃れることができた。１４９２年にスペインで弾圧された20万人のユダヤ人は、ポルトガルやイタリアに亡命している。明や清のような広大な帝国で弾圧を受けたら行き場はない。

中国における諸国併存体制の消失

明朝以降の中国の閉鎖と抑圧は、諸国併存体制が消失したことに要因があるのではないだろうか。中国は、春秋戦国、魏晋南北朝、五代十国などの時代には諸国併存体制にあり、繰り返しになるが宋も他の諸国との戦いをたびたび強いられていた。「宋にとって商業の拡大と国家の防衛は一体のものであった」[37]。

明や清は分裂状態になく、長期間比較的安定状態を維持できた。明は北方のオイライトやタタールの侵攻を受けたが、絶え間ない交戦にさらされるような事態には至っていない。軍事的な危機が少ないので、交易を行って商業の拡大を図ったり、技術を進歩させる必要もなかった。平和にあぐらをかいて、言わば夜郎自大《やろうじだい》（世間知らずで自信過剰）に陥っていたのである。

特に、清朝末期の皇帝や為政者は、イギリスなどの欧米諸国との間に科学技術力や軍事力において大きな差があることに気づかずにいた。一方の日本は幕末に欧米の軍事力を思い知り、明治維新以降急速な欧米化を図った。

ヨーロッパの世界システム、つまり近代世界システムが地球上を覆い尽くし、19世紀以降はすべての国が諸国併存体制に包摂されるようになった。

日本人は、幕末から明治にかけてはその緊張感があったが、特に戦後はアメリカの庇護のもとに安穏としていたので、諸国併存体制の熾烈さを忘却してしまっている。だからこそ今、隣国である中国にＧＤＰで追い越されるだけでなく、科学技術の面で追い越されても、大した危機感を抱かずにいれるのではないだろうか。

今の日本は清朝末期の中国をバカにしていられない。というのも、テレビでは盛んに「日本のここがスゴイ」などといった番組がたびたび流されているからだ。

2018年1月、雪に覆われた東京駅を撮影する人々が、誰かの指示を受けることなく整然と順番待ちの列を形成したことが、ネットで「日本人らしい」とか「日本人の心は美しい」などと賞賛されて話題になった。

私はその記事を見て、列を作ること以外にもはや日本人のとりえはないのかと絶望的な気持ちに陥った。しかも、賞賛しているのもされているのも日本人なのである。外国人が賞賛しているという話ですらない。

日本をいまだに科学技術立国のように見ている日本人も多いし、文化や慣習が世界中から注目されていると錯覚している日本人も多い。日本は今まさに清朝末期の中国のように夜郎自大に陥っている。あるいは、落ち目であることに薄々気づいているが、だからこそ過去の繁栄にしがみつき、現実から目を背けているのかもしれない。それもまた清朝末期の社会状況を彷彿とさせる。

なお、中国では1840年のアヘン戦争と1856年のアロー戦争の後になってようやくのこと、曽国藩《そうこくはん》や李鴻章《りこうしょう》といった官僚が事の重大さに気づいて、欧米の科学技術や軍事技術などを取り入れる洋務運動を展開した。日清戦争の敗北後は、光緒帝《こうしょてい》の下に康有為《こうゆうい》らが戊戌《ぼじゅつ》の変法《へんぽう》と言われる抜本的な改革を行うが、西太后によって潰された。

それからほどなくして、清朝は滅亡し、中華民国を経て中華人民共和国という社会主義国が成立し、中国はますます世界の発展から取り残されることになった。

本章のまとめ

Summary 6

- 19世紀の工業革命（第一次・第二次産業革命）によって生産構造が変化した
- 工業中心の経済では「機械」と「労働」が生産に必要な主なインプットである
- 工業中心の経済では1人当たり所得が増大する（マルサスの罠からの脱却）
- 工業社会に移行した欧米と農耕社会を維持したアジア・アフリカ諸国とで「大分岐」（工業化時代の大分岐）が生じた
- 中国とインドが歴史的に最も繁栄した先進地域だったのは人口が多かったからだ
- 中東は陸路の交易によって、地中海沿岸地域は海路の交易によって繁栄した

●モンゴル帝国によって形成された「13世紀世界システム」を通じて中国からヨーロッパに火薬、羅針盤、印刷技術が伝播した

●ヨーロッパは諸国併存体制（世界経済）だったために、繁栄と軍拡の競合が起きやすかった

●16世紀の軍事革命以降、繁栄と軍拡の競合が過熱しイノベーションが盛んになり、工業革命につながった

●ヨーロッパから広がった世界経済（近代世界システム）は、19世紀に地球上のあらゆる国々を包摂した

●幕末から明治にかけて危機感を覚えた日本は近代化に成功した

●夜郎自大に陥っていて危機感が乏しかった中国は近代化に失敗した

The Pure Mechanized Economy_Chapter 7

第7章

AI時代の大分岐——爆発的な経済成長

中国は人類というキャベツ畑の雑草だ。とどのつまりすべてが中国の状態に回帰するのだ。それは歴史家たちが一般に中世の暗黒と呼ぶものである。草以外に出口はない。花は美しいし、キャベツは役に立ち、ケシは人を狂わせる。けれども草は氾濫であり、それは一個の教訓なのだ

――ヘンリ・ミラー『ハムレット』[38]

1

なぜ中国が最初にテイクオフを果たすのか

――デジタル・レーニン主義の行方

左側に改めろ

1949年、毛沢東率いる共産党によって統一されて社会主義国となった中国は、すぐにソ連との蜜月関係に入る。1953年から57年までの第一次五カ年計画では、

ソ連から資金と技術の援助を受けて農業や工業の集団化が進められた。続く1958年から62年までの間、中国政府は第二次五ヵ年計画と並行して大躍進政策を実施し、15年以内にイギリスの経済水準を追い越すとの目標を打ち立てた。

毛沢東は、経済水準を鉄鋼の生産量を尺度にして考えていたので、農家ごとに小さな溶鉱炉を設置して、大量に鉄鋼を作らせている。工業化を急ぐあまりこのような無茶な生産体制が形成されたのだが、専門家による技術指導もなく作られたこうした鉄鋼はほとんど使い物にならなかったようだ。

また、人民公社（ピープルズ・コミューン）の下に農村を組織化するとともに土地を国有化し、実際の収穫量にかかわらず、政府が定めた生産量に応じて高い税率を課した。政府の生産目標を見かけ上達成するために人民公社の責任者が生産量を水増しして報告し、その分だけ余計に食料が調達されたとも言われている。

こうして農村部は深刻な食糧不足に陥り、2000万〜7000万人の餓死者が発生した。「まず木の皮や草の根が食い尽くされ、やがて泥にまで手が出された。そして、道端や畑、村の中で人々がばたばたと死んでいった」[39]。

飢えに苦しむと人々は、古今東西だいたい同じような順番で食料ならざるものを口にしていく。最初は木の皮で、それから草、次に泥水で、最後には……いや、これは

毛沢東と文化大革命

文化大革命は、1966年に始まった伝統と資本主義を否定する社会主義的文化運動。毛沢東が死去した1976年まで続いた
(©Album／PPS通信社)

言わないでおこう。

大躍進政策によって、正確な死者数が分からないほどの混乱がもたらされ、1961年の経済成長率はマイナス27・27%となった。躍進どころか大後退をもたらし、毛沢東もその過ちを認めた。

1962年以降、毛沢東に代わって実権を握った劉少奇と鄧小平によって経済の立て直しが図られた。市場経済も部分的に導入されるが、そのために彼らは走資派（資本主義の復活をもくろむ勢力）と名指され、文化大革命の期間に失脚している。

文化大革命は、毛沢東による権力巻き返し闘争であるとともに、伝統と資本主義を全面否定する極端な社会主義的文化運動だ。1966年に毛沢東が「司令部を砲撃せよ」という論稿で、司令部に見立てた劉少奇らを批判し、学生や大衆を扇動したことに端を発する。

1966年から68年までの文化大革命の前期には、毛沢東を支持する学生組織である紅衛兵によって、街を行き交う人々の長い髪や細過ぎるズボンがハサミで切られたり、ハイヒールのヒール部分がへし折られたりした。[40]

リンチや虐殺が横行し、国家主席であり70歳近い老人の劉少奇も、紅衛兵によって情け容赦ない凄まじい暴行を受けた。ブルジョア的なもの、資本主義的なもの、西洋的なもの、反革命的なもの、伝統的なものは微塵も存在が許されず、寺院や教会、皇帝の墳墓などの文化財も破壊された。

「さらば、わが愛／覇王別姫」や「始皇帝暗殺」、最近では「空海―KU-KAI―美しき王妃の謎」で有名な映画監督の陳凱歌《チェン・カイコー》の父親は、国民党に入党していたことが反革命的だと見なされ、紅衛兵によって吊るし上げられた。当時まだ14歳だった凱歌少年は、紅衛兵に交じって自分の父親を小突いたり突き飛ばしたりしている。

その夜は、自分が裏切った父親と同じ屋根の下で寝る最初の夜だった。翌朝になっても、父は何も言わなかった。私は、父と顔を合わせるのが怖かった。

父の眼はキラキラ光っていたが、父も私と顔を合わせたくないようだった。母は寝室で父に何か話したが、私には聞き取れなかった。それから部屋の明かりが消えた

——陳凱歌『私の紅衛兵時代』[41]

儒教では、君主を敬う忠よりも親を敬う孝が優先されており、中国社会は伝統的に家族の絆の堅固な社会だった。文化大革命では、君主毛沢東を敬う忠が優先され、家族の絆はズタズタに切り裂かれたのである。

紅衛兵の各派閥は、より革命的であること、つまり左派的であることを競い合って過激な行動に走った。例えば、赤は社会主義のシンボルカラーで良い色なので、赤信号で前進し青信号で停止すべきという主張がなされた。右派に抗するという理由で、北京の道路を右側通行から左側通行に改めさせてもいる。

こうしたコントじみた逸話に、文化大革命の壮大なバカバカしさの一端を見てとれる。混乱の極みにあった１９６７年の経済成長率は、マイナス５・７７％だ。

１９６８年には毛沢東自身が火消しに走り、学生たちを下放《かほう》させて（地方の農村に追いやって）、事態の収拾を図った。凱歌少年も南の果ての雲南へ向かうために、父親に見送られて北京駅を後にしている。

汽車のデッキに立って、父に最後の手を振った。駅の外に広がる陽光の中で、父がだんだん小さくなっていく。線路がキラキラと光り、目にまぶしかった。そのまま遠くまで続いていた

——陳凱歌『私の紅衛兵時代』42

1969年、当時15歳だった習近平は、北京の南西にある陝西省《せんせいしょう》の村に下放を余儀なくされ、それから7年近く畑を耕して過ごした。習近平が最高指導者となった今、その村は習近平村と呼ばれ一大観光地となっている。

下放によって混乱は収まるかのように見えたが、ほどなくして毛沢東夫人で元女優の江青《こうせい》ら四人組と周恩来《しゅうおんらい》との間に新たな政治闘争が巻き起こった。

1973年にこうして始まった文化大革命の後期には、個人的な嫉妬によるおぞましい事件が立て続けに起きた。江青の女優時代のライバルだった王瑩《わんいん》という女優が濡れ衣を着せられ獄死させられたり、毛沢東と男女関係にあった周恩来の養女が江青の指示により惨殺されたりしたのである。

毛沢東が死去した1976年に四人組は逮捕され、ようやく愛と憎しみと幻想の文化大革命は終結を迎えた。革命の間に数百万の人々が虐殺されたと言われているが、

こちらも正確な人数は分からない。

毛沢東を継いで最高指導者となって復活した鄧小平は改革開放を推し進め、社会主義的な計画経済から資本主義的な市場経済への転換を図った。後に、中国のシリコンバレーと呼ばれることになる深圳《しんせん》が鄧小平によって経済特区に指定されたのも、この頃、１９８０年のことだ。人民公社は、１９８３年にはほとんど解体されている。

こうして見ると、中国で比較的まともな社会主義政策がとられていたのは１９５３年からの５年間だけで、１９５８年から76年までの19年間は社会主義政策による成果すらも得られていない。資本主義的な経済活動が抑圧されていた期間は、これらの合計の24年間だ。

ソ連が社会主義政策をとり続けたのは、戦時共産主義体制を開始した１９１８年から崩壊する91年までの74年間[43]であり、中国はそれに比べるとかなり短い。

少なくとも宋の時代には世界で最も市場経済が進んでいた中国の社会は、１０００年近くにわたって商業的な社会であり続けている。大衆はたったの24年間で商魂を失うことはなく、改革開放とともに抑圧が解き放たれて、金儲けに邁進していった。

中国の経済成長率は、鄧小平が実権を握った１９７７年から２０１０年まで10％程度を維持し、その後も６％以上を保っている。

中国は人口が13・9億人で成長率が6％以上、アメリカは人口が3・3億人で成長率が2％ほどだ。それゆえ、中国のGDPがアメリカを追い越すのはおよそ確実であり、その時期は2030年頃と予測されている。

もちろん、中国でバブルが崩壊し日本の失われた20年のような大停滞に見舞われるといった思わぬアクシデントが発生して、この予測が外れることもあるだろう。

中所得国の罠を抜けるには

中国がアメリカと並ぶ、あるいはアメリカを超える経済大国になるといった話はありふれているし、経済学の一般的な理論に基づいても妥当性がある。

ロシア生まれの経済史家アレクサンダー・ガーシェンクロンなどは、経済成長に関する収束論を唱えている。すなわち、1人当たり所得が少ない国は、多い国よりも速く成長し、いずれすべての国が同レベルの1人当たり所得に収束するという。貧しい国はすべて、いずれは豊かな国に追いつくことになる。

1人当たり所得が同程度になるならば、人口の多い国ほどGDPは大きくなるので、必然的に中国はGDPでアメリカを追い抜くことになる。

第4章で、ノーベル経済学賞受賞者ロバート・ソローが1956年に提示したソロ

図7・1　ソローモデル

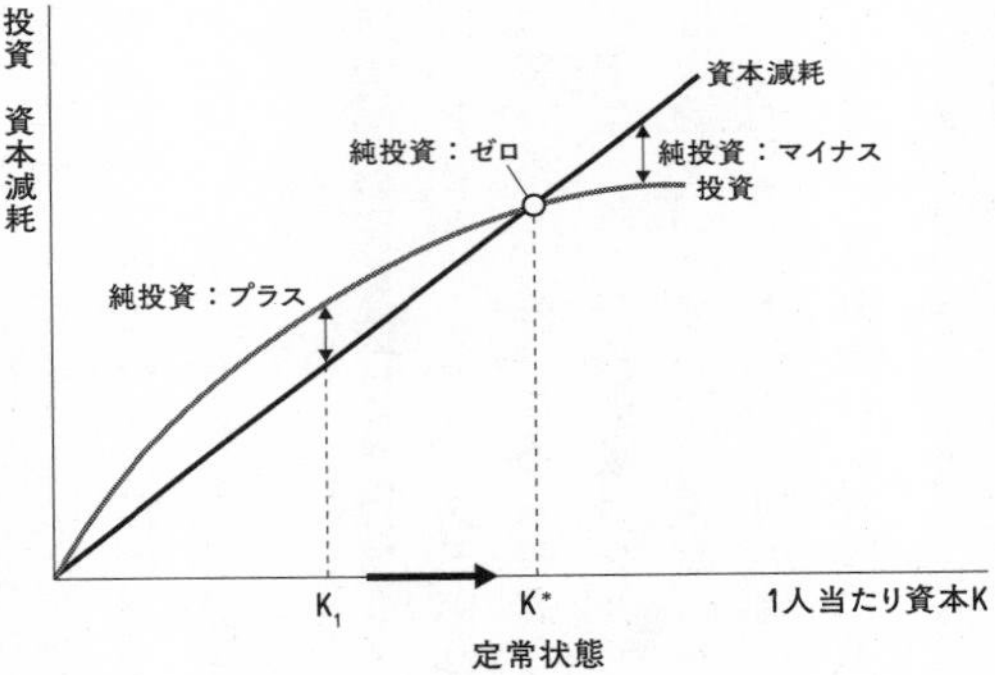

出所：筆者作成

ーモデルについて既に論じている。

収束論は、図7・1のようなソローモデルに基づいて理論的な妥当性を示すことができる。このグラフでは、横軸に1人当たりの資本（機械の台数をイメージして欲しい）Kをとり、縦軸に投資と資本減耗をとっている。投資は、ここでは企業が新しい機械を購入して工場に設置することを意味する。資本減耗は、工場で稼働していた古びた機械を捨て去ることだ。

曲線は資本と投資の関係を表し、直線は資本と資本減耗の関係を表している。投資によって資本は増大し、資本減耗によって資本は減少する。その差し引きである純投資が、純粋に資本を増大させる分だ。

資本の量がK_1である場合、純投資はプラスなので、資本は増大する。資本の量がK^*にまで至ると純投資はゼロとなり資本は増大せず、動きが止まってしまう。これが定常状態であり、多くの先進諸国はこの状態にある。ただし、技術進歩は存在しないものと、ここでは仮定されている。

それに対し、発展途上国はK_1のような状態にある。純投資はプラスであるので資本は増大し、矢印の方向へ向かっていき、やがては先進国同様の1人当たり資本と1人当たり所得の水準に達する。

収束論は現実にも当てはまるのだろうか。ルクセンブルクは、2017年の1人当たり所得が約10万ドルで最も高い。それを除けば、2位のスイスが約8万ドル、42位で西側先進国で最下位のギリシャが1万8000ドルだ。開きはあるものの同じけた数に収まっている。

かつて発展途上国（あるいは地域）だった韓国と台湾、シンガポール、香港といったアジア新興工業経済地域（NIES）はすべて、1人当たり所得がギリシャを超えており先進国入りを果たしている。OECD諸国については、収束論がおよそ成り立っていると見ることができるだろう。

世界全体でも、中国やインド、ASEAN諸国などの人口の多い地域で経済成長率が高く、国家間の格差はおおむね縮小傾向にある。アメリカ国内、日本国内などの国内での格差は拡大しつつあるが、先進国と発展途上国の間の格差は縮小に向かっている。

世界は今、大分岐とは全く逆に大収束（Great Convergence）の時代にあると言える。ただし、貧困の罠と中所得国の罠という収束論の成立を妨げる二つの障壁が存在するために、あらゆる非先進国が先進国の生活水準に近づいているわけではない。

南スーダンやニジェール、ウガンダなどのいくつかのアフリカ諸国は、秩序だった市場経済の形成といった資本主義的な成長を始めるための基本的な条件さえ整っておらず、貧困の罠に陥っている。経済成長率はゼロ付近であるかマイナスであり、先進国との差は広がるばかりだ。

内紛・混乱状態に陥っておらず、市場経済を形成するだけの秩序が維持されているならば、貧しい国が中所得国に仲間入りするのは比較的簡単だ。外資企業を呼び寄せて、低賃金の労働力を活用すればいい。

メキシコやブラジル、ベネズエラなどのいくつかの中南米諸国は、そのようにして資本主義的な成長を果たしてきた。だが、1人当たり所得が中程度の水準で成長が減速し、中所得国の罠という長期的な停滞に陥っている。

発展途上国は、先進国に比べて低賃金という優位性があり、外国資本を受け入れることによって、より速い成長を遂げることができる。ところが、成長を続けると賃金が上昇しこの優位性は損なわれ、外国資本はより低い賃金の国へと移動してしまう。こうして、中所得国の罠が発生するというのが、一般的な説明だ。

ソローモデルに単純に従えば、先進国の水準に達するまで1人当たり所得は増大を続けるはずだ。この矛盾はどうやったら解消できるだろうか。

実をいうと、ソローモデルに基づいて収束論が成り立つことを示すには、発展途上国の技術水準が先進国の水準と同じである（あるいはいずれ同じになる）と想定しなければならない。

すなわち、先進国からの技術移転が速やかになされるか、発展途上国が自らイノベーションを起こさなければならない。そうでなければ、1人当たり所得が低い水準のままソローモデルの定常状態に達して、それ以上経済は成長しなくなる。

教育水準が低いままに留まっていたら、先進国からの技術は簡単には導入されないだろう。中所得国の罠から脱するには、教育水準を引き上げる必要がある。加えてイノベーションの促進は、この罠からの脱却をよりスムーズにする。

実際、中所得国の罠に陥りかけた韓国や台湾は、教育と研究開発に力を入れることによって、この罠をすり抜けることに成功した。要するに、ここでも重要なのは、知識利用性と知識創造性を高めることなのである。

中国は中所得国の罠に陥るか

貧困の罠にも中所得国の罠にも陥らずに、先進国の所得水準まで順調に成長するには、かつての中国やソ連のような計画経済ではなく市場経済が採用されており、文化大革命のような内紛や大きな混乱がなく、国民の教育レベルが十分高く、研究開発が活発に行われていなければならない。

アメリカの経済学者ダロン・アセモグルとジェイムズ・A・ロビンソンは、『国家はなぜ衰退するのか』(早川書房)で、包括的制度こそが長期的な成長を可能にし、収奪的制度では短期的な成長しかもたらされないと主張している。

これら二つの概念は多義的だが、基本的には包括的制度は為政者が国民の所有権を保証する制度で、収奪的制度は為政者が所有権を侵害し国民を搾取する制度だ。

もっと言えば、包括的制度は、政治的には民主主義、経済的には市場経済を採用した西側先進諸国の体制である。対する収奪的制度は、独裁国や全体主義国、ソ連型社会主義国などの体制を指している。

アセモグル&ロビンソンは、ソ連の体制も王朝時代から現在に至る中国の体制もまとめて収奪的制度に含めており、それらの下では長期的な成長が不可能なものと見なしている。

改革開放以降の中国は、収奪的制度から包括的制度に徐々に移行しており、それゆえに成長が可能になっている。とはいうものの、今の制度は依然として収奪的であり、成長はやがて限界に達するという。

中国は、チリやアルゼンチンのようにいずれ中所得国の罠に陥るので先進国の仲間入りをすることはないというのが、アセモグル&ロビンソンの見立てだ。

それに対し私は、中国が中所得国の罠に陥らない可能性が高いと考えている。その考えをつまびらかにするためには、包括的制度と収奪的制度という大くくりな概念をもう少し腑分けしておく必要がある。

図7・2のように、横に分権的経済体制（市場経済）と集権的経済体制（計画経済）に分け、縦に分権的政治体制（民主主義）と集権的政治体制（独裁主義）に分け、別途内紛・混乱状態を設けている。民主主義は、内紛・混乱状態と比べれば集権的だが、独裁体制ほどは集権的ではないので、ここでは分権的と位置づけている（アセモ

図7・2 体制の分類

	分権的政治体制（民主主義）	集権的政治体制（独裁主義）	内紛・混乱状態
分権的経済体制（市場経済）	アメリカ、イギリス、日本などの西側先進諸国	現代の中国、清朝最盛期	ソマリア、清朝末期・軍閥時代の中国
集権的経済体制（計画経済）	アジェンデ政権下のチリ	ソ連、北朝鮮、毛沢東時代の中国	

出所：筆者作成

グル&ロビンソンの言葉遣いと若干異なるので注意が必要）。

内紛・混乱状態は、現在のソマリアのような、市場経済を形成するための最低限の秩序すら保たれない状態を指している。

アセモグル&ロビンソンは、経済的には分権的で政治的には民主主義的な体制を包括的制度と見なしている。だが、独裁政治であっても民主主義国家で行われるのと同様の経済体制が採用されていれば、経済成長が妨げられることはないのではなかろうか。したがって、図7・2のアミカケの部分がすべて、経済成長をもたらす包括的制度ということになる。

国に繁栄をもたらすような独裁者による望ましい政治は、プラトンのいうところの哲人政治だ。それはすなわち、民主主義的なプロセスを経ずに選出された学問を修めた賢者による政治である。

ソ連の体制を、マルクスの教義を修めた哲人による政治の出来損ないと見ることもできるだろう。実際に、その政治は腐敗していたし、そもそも計画経済は長期的な成長をもたらさない。

1928年以降、スターリンの下で第一次五ヵ年計画が実施された。農民からの収奪を基に資本を急速に増大させるとともに、各生産組織には高いノルマ（生産目標）を課し、強制労働によって長時間労働者を使役して急速な成長が実現したのである。だが、恐怖と暴力によって強いられた生産活動が長続きするわけがないし、民間企業で行われるような活発なイノベーションがなされなければ、中所得国の罠と同様の経済停滞がもたらされるのは必至だ。

毛沢東はマーガリン・エコノミスト

アセモグル&ロビンソンは、ソ連の体制と中国の歴史上の体制の両方を、収奪的制度として一くくりにした。だが、経済成長という観点から見た場合には、第一次五ヵ年計画期以外の中国の歴史上のどの体制もソ連の体制とは似ていない。

成長論の観点から中国の歴史を見るには、⑴王朝時代、⑵清朝末期・軍閥時代などの混乱期、⑶第一次五ヵ年計画期（1953〜57年）、⑷大躍進期（1958

毛沢東（左）とスターリン（右）
Mao Zedong (1893-1976), Joseph Stalin (1878-1953)
1949年から1950年にかけてソ連を訪問した毛沢東は、スターリンの誕生日を祝い、中ソ友好同盟相互援助条約を締結した（©UIG／PPS通信社）

〜61年）、⑸文化大革命期（1966〜76年）、⑹改革開放期（1977年〜現在）に分けて考える必要がある。

第5章で既に見たように、宋朝中国では、皇帝独裁の下で当時のどの国よりも市場経済が発達を遂げている。『国家はなぜ衰退するのか』では、「宋の成長は収奪的制度によるものだった[44]」とか「中国では商人はいつも自分が不安定で、宋の偉大な発明も市場によって促進されたわけではなく、政府の保護、ときには命令によって世に送り出された[45]」と述べられている。

ところが、そもそも西暦1000年頃の当時の発明が商売に結びついた事例は世界の他の地域にもほとんどなく、宋朝中国で商人が政府に格別怯えながら商売していたという証拠もない。宋代中国が民主化されていたところで、経済成長にとってはさして益することはなかっただろう。

清朝中国は、康熙帝、雍正帝、乾隆帝の時代に、最盛期を迎える。アメリカ大陸からもたらされたトウモロコシ・サツマイモが栽培されるようになり、GDPは爆発的に増大している。

例によってマルサスの罠に陥っているために、この経済成長は人口の増大によってほとんど吸収され、1人当たり所得はさほど増大していない。それでも、ポメランツが示したように、特に長江デルタ地帯ではイギリスと同程度の市場経済の高度化がなされていた。

清代末期は、死者2000万人とも言われる太平天国の乱が起きたり、列強によって半植民地状態に置かれたりしたので、図7・2の内紛・混乱状態に相当する。続く軍閥時代から国共内戦の期間も内紛・混乱状態にあった。この状態では、生産活動や市場での交換が妨げられるので、経済が停滞するか場合によっては縮小する。

大躍進期は、ソ連の五カ年計画と異なって、短期的な成長すらもたらさなかった。

これは計画経済が長期的な成長をもたらすか否かといった議論以前の話であり、社会主義的な政策としても失敗に終わっていたのである。

毛沢東は革命家としては傑出した能力を持っていたし、伝統的な教養人であり詩作の天才でもあったが、経済政策の点では暗愚だった。キューバ革命の英雄チェ・ゲバラが国立銀行総裁に向いていなかったのと同様だ。

スターリンは、毛沢東を「マーガリン・コミュニスト」といって軽蔑していた。バターではないまがいものという意味だ。それに倣って言えば、毛沢東は「マーガリン・エコノミスト」だった。実際、スターリンほどの経済的手腕はなかったのである。

大躍進期の後、中国は文化大革命という再びの内紛・混乱状態を経て、改革開放期に至ってようやく持続的な成長を開始する。中国における「バター・エコノミスト」は誰だったかというと、それこそが鄧小平だ。

易姓革命とイノベーションの促進

現在の中国は、国有企業ではなく民間企業が主導する経済成長を果たしており、政治的には哲人（？）による独裁主義を、経済的には市場経済を採用していると言えるだろう。

アセモグル&ロビンソンは、中国について「経済制度を党が支配しているせいで、創造的破壊の進行は強力に抑えられており、政治制度に抜本的改革がないかぎりはその状態が続きそうだ」[46]と述べている。『国家はなぜ衰退するのか』が出版された2012年当時は、中国政府のイノベーション重視の姿勢はまだそれほど鮮明ではなかった。

ところが、現在の中国政府は経済成長を持続させないと国民の支持を失うだろうと恐れており、他のどの主要国よりも、イノベーションの促進に力を注いでいる。

中国には古来から民主主義にある意味では類似した独特の仕組みがある。それは易姓革命だ。すなわち、飢饉や反乱がはびこり、ある王朝が天下を治めるだけの力量を失った時に、禅譲《ぜんじょう》（皇帝の位を譲る）や放伐《ほうばつ》（武力によって位を奪う）によって、別の王朝が打ち立てられるのである。皇帝の姓が易《かわ》るので、西洋式の革命と区別するために易姓革命という。

中国では、神のような絶対的な存在を天帝（上帝、天）という。皇帝は天命（天帝からの命令）によって、天下を治める役割を担う天子だ。

徳を持たない者が皇帝の位に就いたならば、その王朝は天命を失ったものと見なされ、易姓革命が図られる。孟子らによって唱えられたこうした易姓革命論は、王朝交代を正統化する理論である。

というのも、ある王朝を禅譲や放伐によって打ち倒す理由を、「徳を失ったから」とか「天命を失ったから」と言い立てることができるからだ。

数年ほどで政権交代がなされる民主主義に比べれば気の遠くなる話だが、易姓革命によっても数百年ほどの間隔で政権交代がなされる。皇帝が毎日のように酒池肉林の宴を催して、民に対するサービスを怠ったら、王朝は転覆させられるだろう。

ドイツ生まれの経済史家カール・ウィットフォーゲルは、ソ連や中国の体制をオリエンタル・デスポティズム（アジア的専制政治）の一形態として位置づけている。

実際、毛沢東は息子の毛岸英《もうがんえい》を後継者にしようともくろんだが、岸英が朝鮮戦争でアメリカ軍によるナパーム弾の爆撃によって命を落とし、毛王朝は結局のところ実現しなかった。それでも、中国共産党の体制を中国の歴代王朝に連なる血縁なき王朝として見ることができるだろう。

そうであれば、共産党政権が易姓革命の対象にならないとも限らない。農民反乱の中から傑出したリーダーが現れて革命へと向かうのが、これまでの王朝交代に比較的多かったパターンであったから、農民反乱の鎮圧にはとりわけ積極的だ。

中国政府はそれだけでなく、イノベーションの促進によって経済成長と国民の生活の向上を図って、そもそもの不満の芽を摘み取ることに力を尽くしている。

その背景にあるのが、2014年に習近平が口にした新常態（ニューノーマル）で、かつての10%を超える高成長に対し、6～7%といった率の中成長が常態化していることを意味する。

中国政府は、これ以上成長率が低下しないように、あるいはより高い成長率を目指して躍起になっており、イノベーション政策を矢継ぎ早に打ち出している。

2015年に中国の国務院は、草の根レベルの起業やイノベーションを推進する「大衆創業・万衆創新」（大衆の起業、万人の革新）や、製造業のデジタル化、ネットワーク化、スマート化を図る「中国製造2025」を発表した。

同じく2015年に、産業領域ばかりでなく、医療や教育などあらゆる領域でのインターネットの活用を目指す「互聯網+」（インターネットプラス）を、2017年には中国のAI研究を世界のトップ水準に引き上げる「次世代AI発展計画」を発表している。

中国政府は、科学技術の水準の引き上げや教育にも力を入れている。その甲斐あって、2016年に科学・工学分野の論文数で、中国はアメリカを抜いてトップに躍り出た。

論文の質を考慮するとまだアメリカの方に軍配が上がるが、中国がアメリカと並ぶイノベーション大国になったということができるだろう。対照的にかつてアメリカに次ぐイノベーション大国だった日本は、科学・工学分野の論文数でインドなどに追い越されて6位に転落している。

「2019年世界大学ランキング・トップ1000」(タイムズ・ハイヤー・エデュケーション)によれば、200位以内に入った中国本土の大学は、22位の清華大学、31位の北京大学など7校で、香港では36位の香港大学など5校だ。

200位以内に入った日本の大学は、42位の東京大学と65位の京都大学の2校のみだ。韓国は、63位のソウル大学など5校がランクインしており、人口が日本の半分以下であるにもかかわらず健闘している。

研究の優劣に限って見れば、清華大学は世界6位でアメリカのマサチューセッツ工科大学(MIT)を超えている。収奪的な政府によって抑制されているので中国では西側民主主義国同様のイノベーションは起きないなどとは、とても言えないだろう。

なお、中国の大学進学率も急上昇しており、2017年には51%に達した。日本の大学進学率は63・5%(UNESCOの定義する大学相当のすべての高等教育機関を含む）でまだ開きがあるが、この差は急激に縮小している。

前述したように、中所得国の罠をすり抜けるのに必要なのは、イノベーションの促進と教育水準の引き上げによって、知識利用性と知識創造性を高めることだ。中国には、中所得国の罠に陥る気配はない。

経済成長にとって重要なのは、民主主義であるか否かではない。シンガポールは、典型的な開発独裁国家で「明るい北朝鮮」などと揶揄されているが、1人当たり所得は9位で日本の所得額の1・5倍だ。

私は民主主義を貶めて、独裁主義を賛美しているわけではない。哲人政治がまともに行われている限り、独裁国家であろうとも長期的な経済成長が実現できると主張しているだけだ。

日本ではバブル崩壊以降、民主主義的に選ばれた暗君（ここでは暗愚な為政者という意味で使っている）たちが、不適切な政策をとり続けた。その結果、日本経済は20年以上にも及ぶ大停滞に陥った。リーマンショック後に適切な金融政策を実施して、速やかに景気回復を図った中国とは対照的だ。

民主主義は独裁主義よりも優れたリーダーを生み出しやすいが、あくまでも相対的なものにすぎない。民主主義が常に望ましい経済をもたらすとは限らないのである。

もちろん、中国で習近平国家主席の後に暗君が統治する可能性も否定できない。しかし2018年3月、国家主席の任期が事実上無制限となったので、暗君の出番があるとしてもかなり遠い未来になるだろう。

テイクオフとは何か

ソローモデルに基づいて理論的に分析すると、長期的には（定常状態では）経済成長率は低い率で一定になってしまう。

実際、この20年間のアメリカの平均実質成長率は2％ほどだ。日本はデフレ不況と少子高齢化の影響で、約0・9％とパフォーマンスが悪い。

中国やインドが6％を超える高い率の経済成長を実現しているのは、それらの経済がキャッチアップの過程にあるからだ。高度経済成長期の日本も同様で、10％を超える成長率を実現した。

逆に、現代の日本やアメリカなどの先進国がせいぜい2％という低い成長率しか実現できないのは、これらの経済がソローモデルの定常状態にあるからだと解釈できる。

成熟した国々が現在経験しているこの低成長状態をソローの罠と呼ぶことにしよ

う。現在、主要な先進国は軒並みソローの罠に陥っている。既存の資本主義の経済構造のままである限り、中国であれインドであれいずれはソローの罠に陥り、低い成長率に落ち着くことになる。

ところが、AI・ロボットなどの導入によって高度なオートメーション化を図り、資本主義を次の段階に進めれば、先進国はソローの罠から脱却し、高い成長率を実現することができる。中国やインドなどのキャッチアップ国は、ソローの罠をすり抜けることができる。

資本主義を次の段階に進めることを、私はテイクオフ（離陸）と言っている。ロストウが、伝統的な社会から工業社会への決定的な転換点を迎えることをテイクオフと呼んでおり、未来にもまたテイクオフが起きるというわけだ。

未来のテイクオフでは、1人当たり所得の成長率が持続的に上昇し、ソローの罠からの脱却が可能となるはずだ。このテイクオフを果たすのに必要なのは、知識利用性と知識創造性を高めること、つまり教育水準を引き上げイノベーションを促進することだ。

要するに、中所得国の罠からの脱却に必要な条件と全く同じだ。頭脳資本主義の時代に入り科学技術の重要性は格段に高まっている。AI・ロボットをはじめとする科学技術の水準の高さと導入の速さが、テイクオフのタイミングを決定づける。

中国が質量ともに科学技術でアメリカを凌駕する日はそれほど遠くないだろう。恐らく、中国がソローの罠に陥ることなく、アメリカよりも先にテイクオフを果たすことになる。論文数が3位となったインドが、中国、アメリカに続くだろう。

かつてイギリスをはじめとした欧米諸国が中国という巨人の肩に乗って工業革命を完遂したように、今度は中国をはじめとするアジア諸国がアメリカという巨人の肩に乗って情報革命を完遂させるのである。

本章ではこの後、私が「純粋機械化経済」と呼ぶ次の段階の資本主義とは何かを説明する。ただ、その前にイギリスやアメリカなどの先進国の成長率が歴史的にどのように推移してきたかを見ておき、ソローの罠の正体をもう少し明らかにしたい。

2 過去の三つの産業革命と経済成長率

肩車効果と取り尽くし効果

1760〜1830年に、イギリスで最初に発生した第一次産業革命で最も重要なのは、機械を使って財を生産し、機械の動力として蒸気機関を用いるようになって、生産性が劇的に上昇したということだ。この期間に、一人の労働者が1ポンドの重さ分の綿花を糸に織るのに掛かる時間は500時間から3時間に短縮された。

とはいうものの、マクロ経済全体で見た時に、産業革命の期間は他の期間に比べて生産性の上昇率が高かったわけではない。図7・3のように、19世紀における生産性上昇率のピークは、むしろ産業革命が終わってからの1830〜70年である。しかも、そのピークですら年率0・8%程度の上昇率であり、今日の水準からすると低いくらいだ。

したがって、第一次産業革命は生産性が絶えず上昇し、経済が成長し続けるような時代の始まりとして考えるべきだ。この革命によって、人類は初めて時を経るごとに

図7・3　イギリスの生産性上昇率の推移

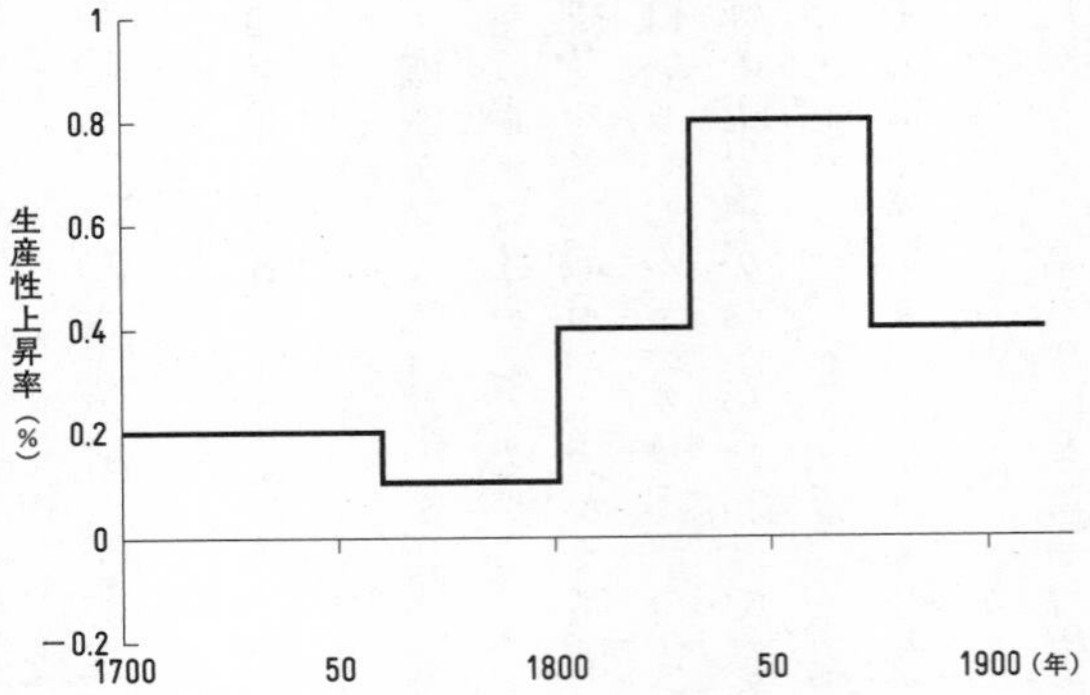

出所：Crafts（1994, 1996, 2005）

暮らしぶりが向上していくような経済の仕組みを手に入れたのである。

資本主義経済（機械化経済）において、生産性はおよそ常に上昇してきたが、その上昇率は上がったり下がったりを繰り返している。図7・3を見ると、生産性上昇率は19世紀を通じてまず上がってから下がっている。

これは初め肩車効果が支配的だが、やがて、取り尽くし効果が支配的になるからだ。肩車効果は、既に存在する技術のアーカイブ（蓄積）を参照することによって新たな技術の発見が容易になる効果のことだ。第6章で取り上げた「巨人の肩に立つ」というニュートンの言葉に由来している。

取り尽くし効果は、簡単な発見はすぐに成し得るので、イノベーションが進むにつれて、新たなアイデアの発見が難しくなっていくことを意味する。これは、池で魚を釣っていくと、だんだん魚が釣れにくくなる状態に類似している。

汎用目的技術（GPT）が現れてから、しばらくは肩車効果が優位に働き補完的発明が続く。しかし、やがてそのような発明はネタ切れを起こし、イノベーションは枯渇していく。

したがって、図7・3のグラフは、蒸気機関の補完的発明品として、蒸気ポンプ、蒸気機関車、蒸気船、力織機などが続々と世に現れるにつれて生産性の上昇率が上がっていき、やがて発明のネタが尽きて生産性の上昇率が下がったがために一つの山を形作っているものと解釈することができる。

第二次産業革命の終わり

蒸気機関が第一次産業革命を牽引したのと同様に、内燃機関（自動車などで使われるガソリンエンジン）や電気モータなどのGPTは第二次産業革命を牽引した。

身の回りの家電製品を見れば一目瞭然だが、私たちの現在の消費生活の多くは今なお第二次産業革命が切り開いた地平にある。そして、それは内燃機関や電気モータな

図7・4　アメリカの生産性上昇率の推移

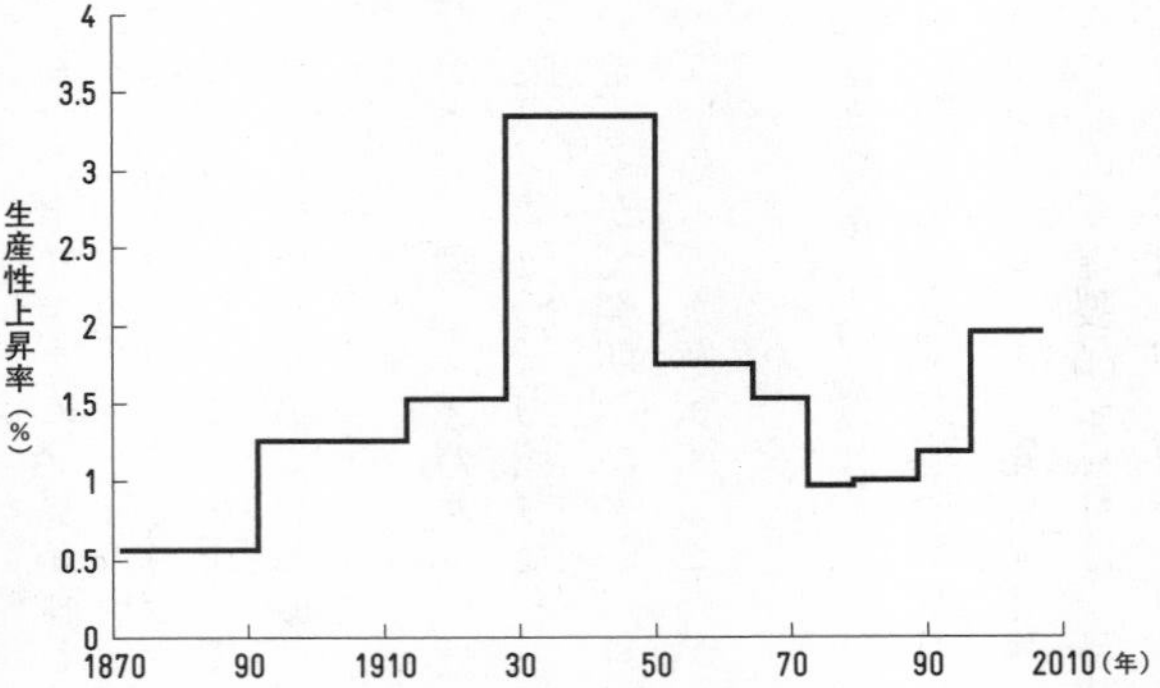

出所：Gordon（1999, 2010）

どのGPTのインパクトの大きさを示している。例えば、自動車や飛行機は内燃機関の、洗濯機や掃除機は電気モータのそれぞれ補完的発明の賜物だ。

第二次産業革命そのものは、1860〜1900年の間に生じたと一般には言われている。革命の震源地はイギリスではなく、アメリカとドイツだ。

とりわけ先進的だったアメリカにおける生産性上昇率の推移を見てみよう。図7・4のように、このグラフもまた、1930〜50年の期間を頂点とする一つの山を形作っている。第二次産業革命は1860〜1900年という期間に留まらず、一世紀近くもの長い時間、経済に影響を及ぼし続けたと言うことができる。

ある財が発明されてから普及するまでには長い時間を要するが、この過程はディフュージョン（拡散、普及）と呼ばれている。ディフュージョンには長い時間が掛かる。

家電製品の多くは19世紀に既に発明されていたが、それが拡散し尽くしたのはアメリカでは1960年代、日本では1970年代で、他の先進国でも振れ幅はあるものの同様の時期だ。

そして、この時期になってようやく第二次産業革命のインパクトは小さくなり、生産性上昇率も経済成長率もともに低下した。内燃機関や電気モーターを補完するイノベーションは既に枯渇していたが、その影響が尽きるまでには長い時間を要したのである。

1970年代の世界的な経済停滞の要因として、石油ショック以外にこのようなイノベーションの取り尽くしが考えられる。

アメリカの経済学者タイラー・コーエンは、その著書『大停滞』（NTT出版）で、人々の物質的な生活は1950年代以降ほとんど変化しておらず、自動車も冷蔵庫も洗濯機も既に存在しており、なかったのはインターネットくらいだと言っている。これはアメリカの話だが、日本でも高度経済成長期が終わった1970年代から、身の回りにある家電製品がほとんど変わっていないとよく言われている。

近代以降の歴史を通じて数限りないイノベーションが発生してきた。しかし、もはや発明・発見のネタが切れてきて、イノベーションは枯渇しつつあり、アメリカ経済は大停滞に陥っているというのが、コーエンの主張だ。

コーエンは、「容易に収穫できる果実は食べ尽くされた」という言葉で、イノベーションの枯渇などを原因とした経済成長の行き詰まりを表現している。

第三次産業革命

第二次産業革命のインパクトは1970年代に確かに消え去りつつあったが、その裏では次の革命が準備されていた。それは、新たなGPTであるコンピュータとインターネットが引き起こした第三次産業革命だ。

図7・4に見られるように、1990年代からアメリカの生産性上昇率は再び高くなってきたが、その原因はこの第三次産業革命にあると考えられる。

コンピュータそのものは1940年代に発明されていたが、例のごとくディフュージョンには長い時間が掛かる。GPTは、改良が繰り返され実用化が進み十分拡散するまでは社会的なインパクトを持たないからだ。

そのインパクトを産業革命というのであれば、第三次産業革命の始まりは1940年代などではなく、コンピュータによる生産性上昇率の上昇がアメリカで見られるようになった1990年代とするのが妥当だろう。

とりわけ1995年は、初めて広く家庭に普及したパソコンのオペレーティングシステム（OS）であるウィンドウズ95が発売されたシンボリックな年だ。このOSの普及に伴ってインターネットが浸透したので、1995年は一般にインターネット元年と呼ばれている。ここでは、この象徴的な年を第三次産業革命の起点としておこう。

先進国の経済成長率が低いのはなぜか

19世紀末に起きた第二次産業革命（電力やガソリンエンジンなどによる革命）と20世紀末に起きた第三次産業革命（IT革命）は、私たちの生活に大きな影響をもたらしたが、生産構造には根本的な変革をもたらさなかった。

それらの革命を経ても資本主義経済の生産活動は相変わらず、「機械」と「労働」という二つのインプットを必要とする。産業革命から現在にまで至る資本主義経済は、図6・2で表されるような機械化経済であり続けた。

アメリカの生産性上昇率は革命が起きるたびに、高くなりやがて下がっていった。それでも、それほど大きな変化があるわけではなく、経済成長率はおよそ2%前後を維持し続けている。

理論的にも、ソローモデルに基づいて機械化経済を分析すると、長期的には(定常状態では)経済成長率は低い率で一定になってしまう。

ソローモデルが想定しているのは、限界生産力が逓減《ていげん》するような経済だ。図6・2のインプットの一つ「機械=資本」を増やしていくと、生産量も増大する。だが、その生産量の増大分は減少していくのが、限界生産力逓減だ。限界生産力というのは、追加的な生産力を表している。

ワイシャツを作る工場を考えてみよう。労働者の人数を変えずに、機械の数だけ1台から2台、3台と増やしていくと、ワイシャツの生産量は図7・5のように例えば、9着、16着、21着と増えていく。それに対し、増大量は9着、7着、5着とだんだん少なくなっていく。

労働者が機械を操作しなければならないから、労働者の数を増やさずに機械の台数だけを増やしていっても、だんだん行き詰まっていく。それは限界生産力が逓減して

図7・5　限界生産力逓減

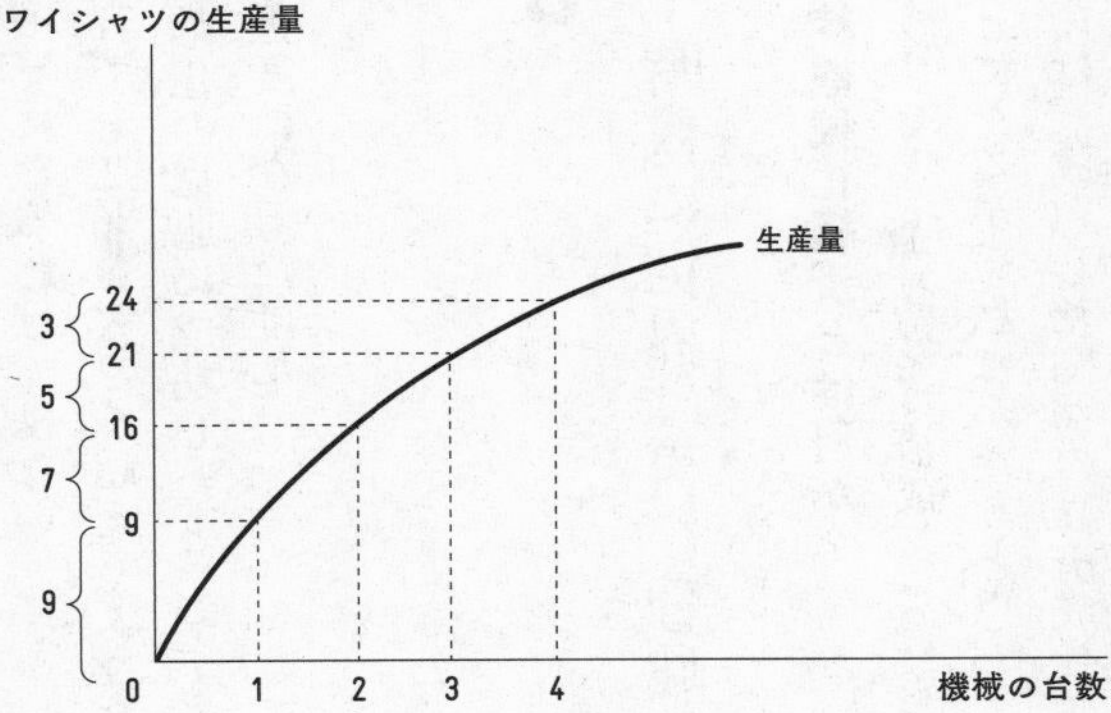

出所：筆者作成

いるからだ。

それでは、労働者の人数を増やせばいいと思われるかもしれない。だが、日本全体で、労働者の人数を増やすには人口を増やさなければならない。政策的に人口の増大を促進することは困難だが、たとえそれが可能であったとしても、人口1人あたりの所得は増大しない。

1人あたり所得こそが個々人の生活の豊かさを表しており、これはGDPを人口で割ることで求められる。人口が増えることでGDPが増えても、1人あたり所得は結局変わらず、個々人の生活はちっとも豊かにならない。

ただし、ソローモデルの定常状態に至っても技術が進歩している場合それに応じて、申し訳程度に資本は増大し経済は成長する。それゆえ、先進諸国の成長率も完全にゼロになるわけではない。

それでも2%を大きく超えるような成長率の持続は難しい。日本がデフレ不況と少子高齢化の克服に成功したとしても、0・9%の成長率がせいぜいアメリカ並みの2%程度になるだけだ。

3 AI時代に世界は再び分岐する

純粋機械化経済とは何か?

そうすると、「高度経済成長よ、もう一度」と夢を抱いたところでかなわないということになるが、私はかならうと思っている。AIなどがもたらす革命である第四次産業革命は、成熟した国々の経済成長に関する閉塞状態を打ち破る可能性がある。なぜなら、AI・ロボットが人間の労働の大部分を代替すると、図7・6のような生産構造になるからだ。

インプットはＡＩ・ロボットを含む機械のみで、労働は不要となっている。フランスの経済学者トマ・ピケティはこのような経済を「純粋ロボット経済」と呼んだが、ここでは「純粋機械化経済」と呼ぶことにする。

今でも、ロボットの製造で有名な日本の企業、ファナックの山梨にある工場に行くと、無人に近い工場の中でロボットがロボットを作っているというＳＦ的な光景が見られる。その光景が全産業に広がったような経済が純粋機械化経済だ。

図7・6　純粋機械化経済の生産構造

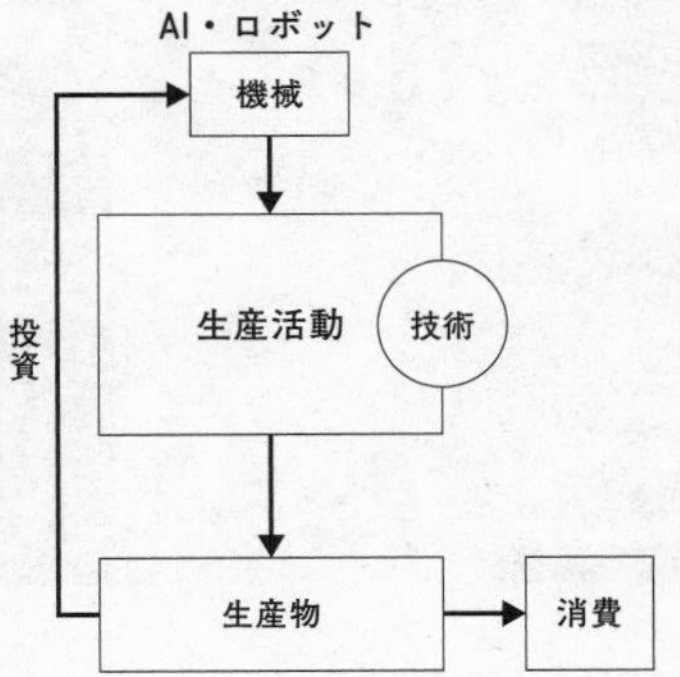

出所：筆者作成

第3章で私は、たとえ汎用ＡＩのような高度なＡＩが現れても、クリエイティヴィティ、マネジメント、ホスピタリティに関わる仕事は残るだろうと述べた。

したがって、より正確に図示するのであれば、図7・7のように人は新しい技術を研究開発する、商品を企画する、生産活動全体をマネジメントするといった仕事に専

ファナックのロボット

フォルクスワーゲン（独）の工場で自動車の組み立てを次々と進める

（©DPA／共同通信イメージズ）

念する。

シャツであれば、直接シャツを作るのは機械だが、シャツのデザインをするのは人間で、シャツ工場を最終的に管理するのも人間だ。ラーメンであれば、直接ラーメンを作るのは機械だが、新しいラーメンの味を考案するのは人間で、ラーメン店の最終的な管理をするのも人間だ。

あるいはまた、機械以上のホスピタリティを発揮できる人は、生産活動に直接関わり続けることになる。ただ、その人数は機械の数に比べてかなり少ないはずなので、ここでは置いておくことにしよう。

このような純粋機械化経済は、IT産業やコンテンツ産業と同様の構造を持つ。設計には頭脳を持った人間が必要だが、追加的な生産は労働者なしに機械によって自動で行われる。

ただし、ソフトウェアやデジタルコンテンツの追加的な生産が、費用ゼロでかつ一瞬で行われるのに対し、実物財の追加的な生産にはある程度時間もお金も掛かる。

実物財の生産には材料やエネルギーが必要であり、ジェレミー・リフキンが『限界費用ゼロ社会』で描いた通りにはならず、限界費用はゼロにはならない。また、機械のみが製造を行うにしても一瞬で作業が終了するわけではない。

図7・7　純粋機械化経済の生産構造2（人の役割）

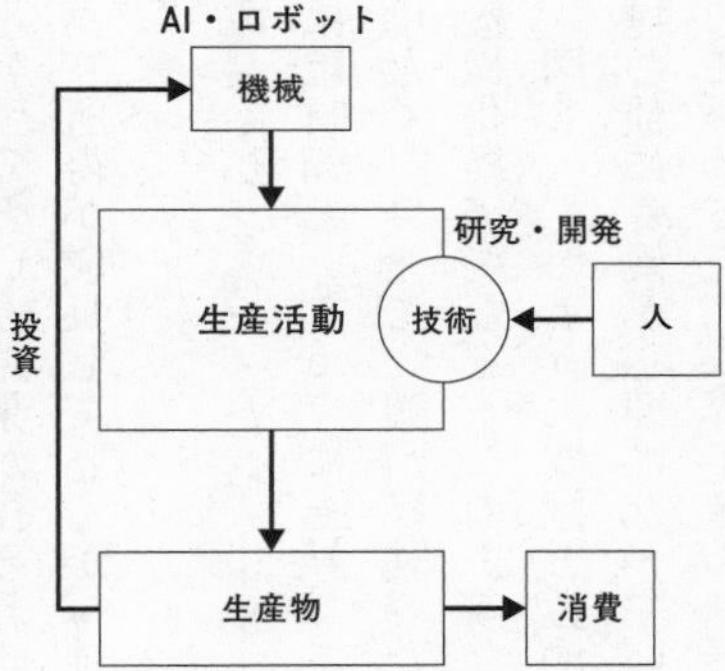

出所：筆者作成

そうではあるが、追加的な生産に労働力が必要とされないという点において、純粋機械化経済はIT産業やコンテンツ産業と同じ構造を持つ。

純粋機械化経済における成長率

この純粋機械化経済について数理モデルを作って分析すると、たとえ技術進歩率が一定であったとしても、経済成長率が年々上昇するという結果が得られる。機械化経済の定常状態では毎年ほぼ一定率で1人当たり所得が成長していくが、純粋機械化経済では成長率自体が年々成長していく。

今年成長率が2%だったら、1年後には3%、2年後には5%、3年後には9%、4年後には14%というように上昇していくことになる。これは、高度経済成長どころの話ではなく、今まで人類が経験したことのない途方もない事態だ。

純粋機械化経済でなぜ、このような爆発的な経済成長が可能になるのか。機械化経済では、図6・2のように機械と労働の両方がインプットとなっていた。この経済では、機械の他に労働が必要になっていることがボトルネックになっている。機械だけを増やしていっても、限界生産力は逓減していきやがてゼロに近づく。

それに対し純粋機械化経済では、図7・6のようにボトルネックたる労働を捨て去ることで、爆発的な経済成長が可能となる。

機械のみでオートマティックにワイシャツを生産できれば、機械を増やすのに比例して、ワイシャツの生産量は増大していき、それは衰えることがない。つまり、図7・8のグラフで表されるように限界生産力は逓減せずに、「限界生産力一定」となる。

図7・8　限界生産力一定

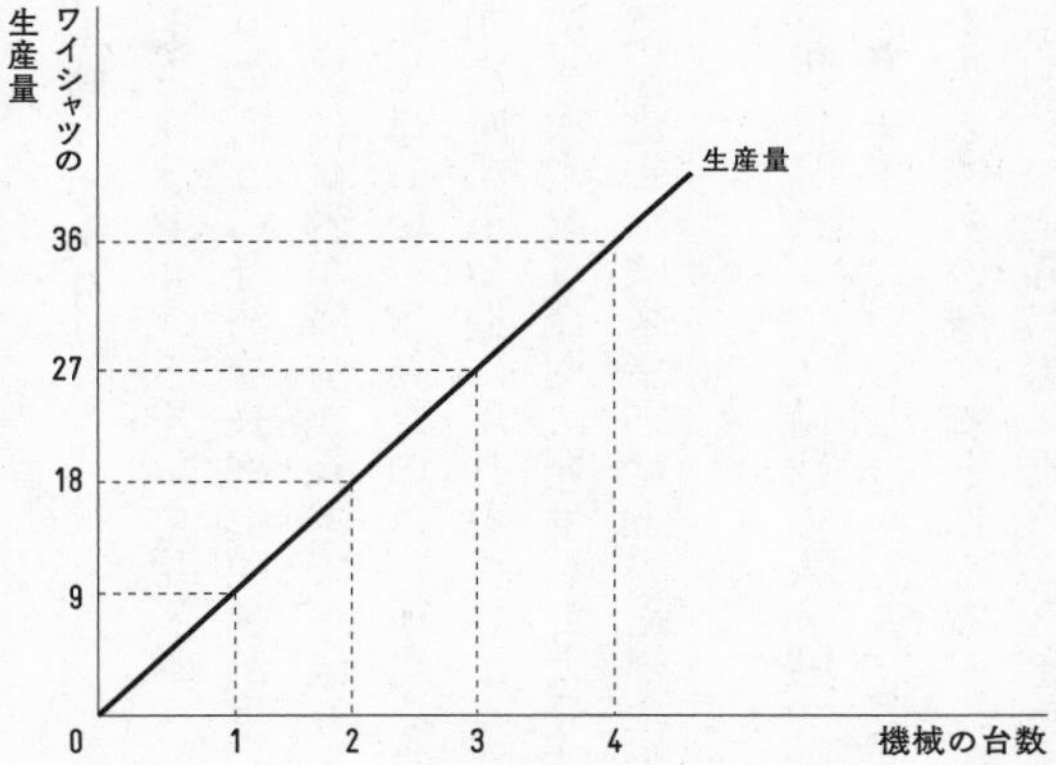

出所：筆者作成

直接的な生産活動にとって労働がほとんど不必要となる純粋機械化経済は、機械（資本）の限界生産力が逓減しない経済だ。そしてこの経済では、機械（資本）そのものが産出物であり、いくらでも作り出すことができる。

図7・6の投資という矢印の循環に注目してみると、これは言わば、機械による機械の生産を無限に繰り返し、生産規模をどこまでも拡大させていくプロセスだ。その拡大のスピードそのものが技術進歩によって速められているので、経済成長のスピードも速まっていく。それゆえに、技術進歩率が一定であったとしても経済成長率は高ま

っていく。

ＡＩ時代の大分岐

もしＡＩ・ロボットをいち早く導入した国とそうでない国があるとするならば、図７・９のように経済成長率に開きが生じていくことになる。

この図は縦軸が経済成長率で、図６・１の方は縦軸が１人当たり所得だという点に注意してほしい。重要なのは、所得（ＧＤＰ）の成長率なのか水準なのかの違いだ。

第四次産業革命期に現れるこのような分岐を「ＡＩ時代の大分岐」と呼ぶことにする。第一次産業革命期に発生した大分岐では、蒸気機関などの機械を導入し、生産活動を機械化した欧米諸国は上昇路線に乗り、そうでない国々は停滞路線に取り残された。

それと同様に、ＡＩ時代の大分岐では、ＡＩ・ロボットをいち早く導入し生産活動の高度なオートメーション化を進めた国々が経済面で圧倒的となり、導入が遅れた国々を大きく引き離すことになる。

図７・９の上昇路線に乗ることをテイクオフと呼ぶことにしよう。多くの国々が同時期に一斉にテイクオフすると考える人もいるかもしれない。

図7・9 AI時代の大分岐

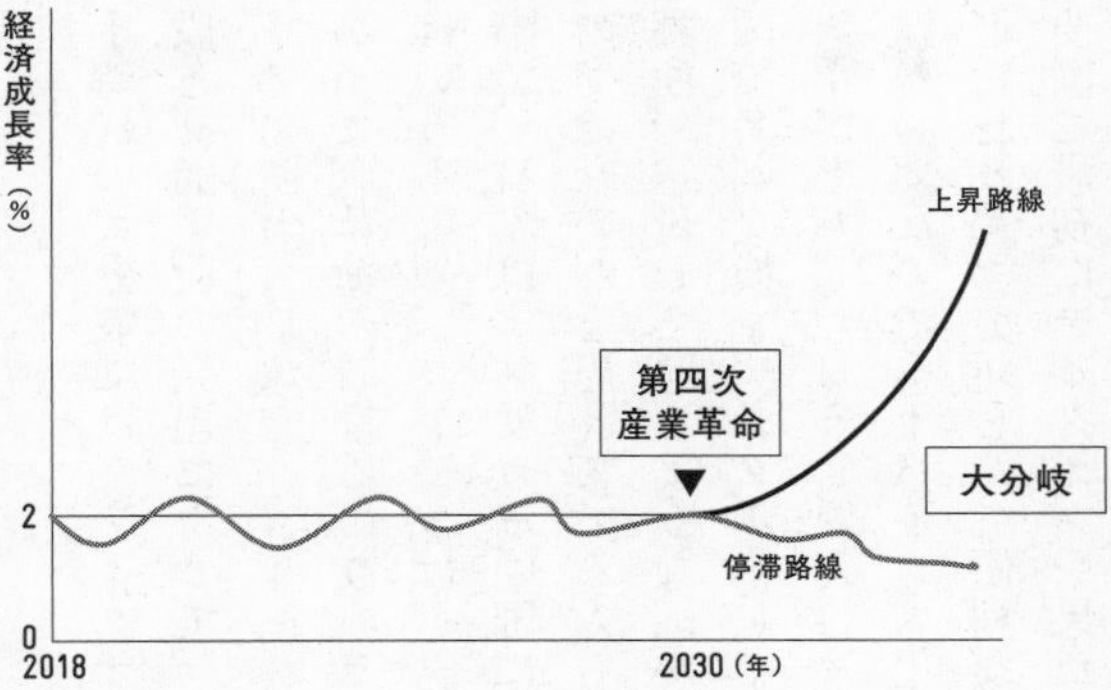

出所：筆者作成

だが、新石器時代の大分岐では、主要な地域でも上昇路線に乗る時期に数千年の開きがあった。既に述べたように、農耕が始まったのは中東で紀元前9000年頃、インドで紀元前6000年頃、中国で紀元前5000年頃だ。

日本の農耕開始時期については定説がなく、紀元前4000年から紀元前500年と開きがある。世界にはごく一部だがいまだに狩猟採集社会の地域が残っている。

工業化時代の大分岐では、主要な地域でも上昇路線に乗る時期に150年以上の開きがあった。イギリスの産業革命は1760年くらいに始まっているが、それから150年後の1910年になっても中国やインドで同様の革命が始まっておらず、相変わらずの停滞路線を歩んでいた。

ＡＩ時代の大分岐では、テイクオフの時期に20〜50年の開きが出るだろう。情報通信手段と交通手段の発達によって、工業化時代の世界は新石器時代の世界より狭くなっている。それと同様に、ＡＩ時代の世界は工業化時代の世界より狭くなっている。したがって、革命の時期はよりバラつきが小さくなるはずだ。

とはいうものの、バラつきはゼロにはならないし、ＡＩ化の前段階としてのＩＴ化の段階で、日本はアメリカや中国に後れをとっている。日本のＩＴ化もかなり進んでいるのではないかと思っている人もいるかもしれないが、マイナンバー通知書のコピーを郵便で送付しているような国が、ＩＴ先進国なわけがない。

中国で名刺交換をデジタル化しているこの時代に、日本ではいまだに名刺を渡す時のマナーがどうしたこうしたといった内実のない議論にかまけている。

印鑑が必要なのでペーパーレス化できないといったこともそうだが、つまらない慣習にとらわれ過ぎて新しくて便利な技術を導入できない。

主要国で最初にテイクオフを果たすのは恐らく中国で、それからアメリカやインドが続いていく。日本は中国に対し20年くらい遅れてからのテイクオフと相成るかもしれない。それくらい、日本のIT化・AI化は立ち遅れている。イタリアやスペインは、日本よりもさらに遅れる可能性がある。

中国やインドは、日本よりもIT化が進んでいるとともに発展途上国でもある。それらの経済は、いまだにソローモデルの定常状態にはなく、6%を超える成長率を維持している。つまり、日本やアメリカのような先進諸国の経済と同様の成熟度には達していない。

このままいくと、中国やインドは機械化経済での成熟を経験しないままにテイクオフを果たし、成長率が7%、9%、13%と上昇していくだろう。

テイクオフに遅れるとどのような災難に見舞われるか

工業化時代にアジアでは、日本が一足早く大分岐の上昇路線に乗り、中国やインドは停滞路線に陥った。明治維新を成功させた日本と、戊戌の変法が失敗に終わった中国やイギリスの植民地であり続けたインドでそのような違いが生じた。

未来の大分岐では逆のことが起きるだろう。中国やインドが先に上昇路線に乗り、日本はしばらく停滞路線をたどるのである。しばらくといっても20年くらいで、大した遅れではないと思われるかもしれないが、この遅れが命取りになる。日本企業は思うままに収益を上げられなくなるかもしれない。

第三次産業革命に日本が乗り遅れた結果、私たちの暮らしは、パソコンのOSはウィンドウズ、検索エンジンはグーグル、ネット上のショッピングはアマゾン、スマホはアイフォン、SNSはフェイスブックやツイッター、インスタグラムを使うような体たらくだ。それらの製品・サービスで得られる収益は、アメリカの各企業に持っていかれている。

第三次産業革命と同様のことが第四次産業革命で起きるなどと考えてはいけない。もっとスケールの大きなことが起きるのである。というのも、第四次産業革命ではビットがアトムを支配するからだ。

情報空間だけでなく、実空間もすべてデジタル技術によってコントロールされるようになる。今起きていることは、情報空間の中でもデジタル化しやすい部分でアメリカの企業が支配的ということにすぎない。

第四次産業革命に日本が乗り遅れた場合、自動車や家、ロボットなどのOSを提供する外国資本の企業が日本でも莫大な収益を得るかもしれない。そればかりか、日本人は、ロボットが働く無人に近い工場や店舗を所有する外国資本の企業から商品やサービスを購入しなければならなくなる。

極端な話、日本企業は全く収益が得られず、日本人の収入の道は絶たれるということになりかねない。そうなると、テイクオフどころか停滞ですらなく、経済がシュリンク（縮小）し続けるような事態に陥りかねない。

多くの経済学者が、よその国が劇的に生産性を上昇させたことによって、自国の経済が衰退するなどということはあり得ないと主張するだろう。ところが、自由貿易が常に国を豊かにするという学説もまた、ホモ・エコノミクス（経済人）の想定とともに、経済学者のコミュニティでしか通用しないおとぎ話にすぎない。

植民地時代のインドはイギリスとの貿易によって手工業が壊滅状態に陥り、ガンディーはイギリスの綿製品に対する不買運動を唱道した。明治維新以降の日本は、死に物狂いで関税の自主権を獲得しようとし、そのために議会を開き憲法を制定し、戦争まで引き起こした。

日本が世界の覇権を握る必要は全くないが、中国やアメリカなど他の国が覇権を握る構えで国家戦略を立てている以上、日本も同様の構えでいなければそうした国々に拮抗できなくなる。そうすると、安全保障上の巨大な脅威が発生する可能性もある。

第5章で述べたように、繁栄の競合は部分的にはゼロサムゲームで、軍拡の競合は全面的にゼロサムゲームだ。主権国家を超えた権力機構が存在しない以上、合成の誤謬たるそうしたゲームを放棄するわけにはいかない。

といっても、積極的に軍拡を図るべきだと主張したいわけではない。経済力と科学技術力の格差は、軍事的な格差に直結するので、経済力と科学技術力に差をつけられないように努力すべきだ。極端な話、中国のGDPが日本の100倍になったら、両国に軍事的な衝突が起きた時に象と蟻の戦いになってしまう。

前回の大分岐で、先に産業革命を起こしたイギリスなどの欧米列強が中国を半植民地状態に置いたのと全く同じことが、未来において起きるわけでは恐らくない。爆発的な経済成長などというものは、ついぞ起きたことがないので、後れをとった国々は全く思いもよらぬような災厄をこうむる可能性がある。それは、原発事故のような予測し難い不確実な危険であろう。

4 テイクオフに必要な需要側の政策とは

需要を増大させ続けるにはどうしたらいいか？

純粋機械化経済において現れる指数関数的に上昇する成長率は、正確には潜在成長率だ。これは純粋機械化経済に移行しても、需要制約に阻まれて、図7・9の上昇路線のような成長が実現しない可能性があるということを意味する。

要するに、爆発的な潜在供給の増大に需要が追いついていかない可能性があるということだ。純粋機械化経済では、多くの労働者が仕事が得られず「不要階級」（ユヴァル・ノア・ハラリの言葉）を形成しているだろう。そうすると、所得が得られないので消費需要が減少し、経済がシュリンクすることも十分起こり得る。

供給面では外国資本の経済的侵入によってシュリンクする可能性があるが、需要面では消費需要の減少によってシュリンクする可能性があるというわけだ。

需要が潜在供給に比べて足りない時には、物価が持続的に下落するデフレが発生する。日本でもこの20年の間に需要不足によるデフレが続いていた。

純粋機械化経済において潜在供給が急激に増大するにもかかわらず消費需要が低迷していたら、日本経済が失われた20年の間に経験したよりもはるかに深刻なデフレ不況が起きる可能性がある。

このようなデフレ不況を防ぐために政府がなすべきことは、二つある。一つは、お金の出回る量、マネーサプライを増やすような政策。もう一つは、所得の再分配政策だ。

需要を増大させるマクロ経済政策には、橋や道路の建築といった公共事業などに対する政府支出を増やす政策である財政政策と中央銀行が市中(世の中)に出回るお金の量を増やす金融政策がある。いずれも需要を増大させて、景気を浮揚させる効果を持つと考えられている。

私自身は、公共事業へ支出するような財政政策は需要不足による失業を解決する手段として妥当ではないと考えている。橋や道路は必要に応じて建設すべきであり、不必要ならば建設すべきではないからだ。

それに、建設業が潤って、その業界の失業が減って人手不足にすらなったとしても、他のすべての産業が潤いマクロ経済全体の需要不足が解消されているとは限らない。一般的には、金融政策の方が経済全体を潤す効果を持っている。

金融政策の効果とその限界

金融政策には、金融緩和政策と金融引き締め政策がある。金融緩和政策というのは、図7・10のように、中央銀行がみずほ銀行や三菱UFJ銀行などの民間銀行から国債を買い入れ、その見返りとして発行した貨幣（お金）を、民間銀行に供給するような政策だ。

そして、その民間銀行が企業へ貸し出しを行うことによって、お金が市中に出回っていき、マネーサプライが増大する。金融引き締め政策はその逆だ。

一般的には、中央銀行はこのようにして間接的にマネーサプライをコントロールできるものと考えられている。中央銀行がマネーサプライを増やし、私たち家計の手元にあるお金も増えたとする。そうすると、私たちはよりお金持ちになっているのだからより多く買い物することになり、需要が増大する。

このような政策はもはや効果を持たないと主張する経済学者もかなりいる。経済が成熟しており消費が飽和しているので、お金が増えても人々は商品の購入を増やさないというわけだ。私は、これを富裕層についてしか通用しない理論ということで「お金持ちの理論」と呼んでいる。

富裕層の消費は現在、既に飽和しているかもしれない。しかし貧困層の消費は飽和

図7・10 金融政策の仕組み

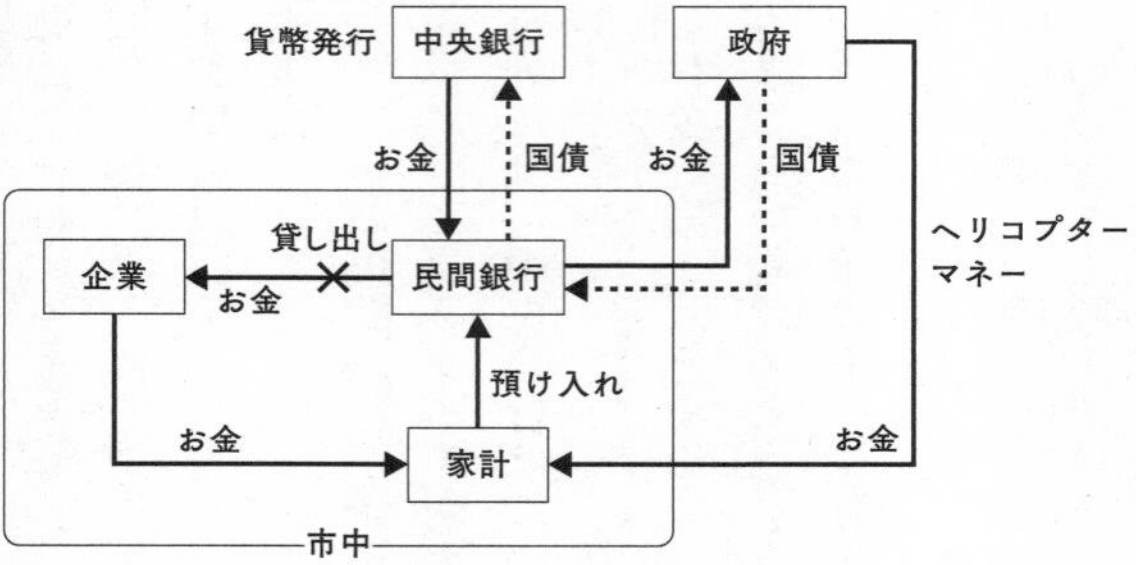

出所：筆者作成

しておらず、彼らはお金が余計に得られたらそれに応じて消費を増やすだろう。

もし、手元のお金が増えてもすべての人々が既存の財の消費需要を全く増大させないとするならば、それは人々が既存の財の消費に完全に満足している状態、つまり一種のユートピアの出現を意味する。ところが、私たちの住まうこの世界は、幸か不幸か今のところユートピアではない。

お金を十分に持っていないがために、買いたい物が買えない消費者が存在する限り、マネーサプライを増やす政策は効果を失うことはない。

ただし、現在の金融政策のスキームでは、そのような消費者にお金が行き届かない可能性がある。また、現在の日本のように金利（利子率）がゼロに近いにもかかわらず、民間銀行から企業への貸し出しが増大しないためにお金が市中に出回らず、マネーサプライが増大しにくい状態では、伝統的な金融政策は効果を大幅に減じてしまう（図7・10の×部分）。

それゆえ、金融政策と（公共事業型ではない）財政政策をうまく組み合わせて、中央銀行が発行したお金を家計（消費者）に行き渡るようにしなければならない。

具体的には、図7・10のように政府から市中銀行が買い入れた国債をさらに中央銀行が買い入れ、その国債を財源にして政府が家計に対し直接お金をばらまくような政策が必要となる。これは、ヘリコプターで空からお金をばらまくような政策ということで、経済学ではヘリコプターマネーと言われている。

純粋機械化経済において、金融政策によってお金の量を増やそうとしても、これだけ急速に潜在供給が増大するとなると、中央銀行は大幅な金融緩和政策を常に強いられ、たびたびゼロ金利に陥るようになる。ゼロ金利に陥ると金融緩和政策は極度に効力を弱められる。そうすると、ヘリコプターマネーを実施しなければデフレ不況からの脱却は難しくなる。

ヘリコプターマネーに賛成する経済学者は、少なくとも日本ではマイノリティであり、その人たちもデフレ脱却のための緊急的な処置として実施すべきだと主張しているだけだ。

それに対し私は、これからの時代、ヘリコプターマネーこそをマクロ経済政策の主軸に据えるべきだと考えている。そうでなければ、純粋機械化経済に移行しても爆発的な経済成長は実現し難いだろう。テイクオフを果たすためには、ヘリコプターマネーが不可欠かもしれない。

中国やアメリカに対して、日本はまだ逆転ホームランを放つことができる。宋朝中国が紙幣の発行という人類初の試みによって未曾有の発展を遂げたように、日本もまた世界に先駆けてヘリコプターマネーを主軸にした貨幣制度に転換することによって、優位性を獲得できるのである。

2 階建てのベーシックインカム

純粋機械化経済への移行に際し、もう一つ必要なのは大規模な再分配政策であり、その有力な手段がベーシックインカム（BI）である。BIは失業や貧困に陥った人々に対する支援になるばかりではない。純粋機械化経済において仕事を失い所得を減らし消費を減退させた人々に給付することによって、消費需要を高める効果を持つ。

ヘリコプターマネーによってお金の量を増やすこと、BIによってお金を再分配することの両方がAI時代には必要となる。お風呂のお湯が熱過ぎる時に、水で薄めるとともにかき混ぜる必要があるのと同様だ。水を注ぐことがマネーサプライの増大に相当し、かき混ぜることが再分配政策に相当する。

ヘリコプターマネーとBIは混同されやすい。正確にいうと、ヘリコプターマネーは財政政策と金融政策を組み合わせることによって、公的機関の発行したお金を直接民間経済主体に給付し、マネーサプライを増大させることだ。給付先は家計でも企業でも構わない。

それに対し、BIは最低限の生活を保障するためにお金を国民に給付することだ。財源は何でも構わないが、一般的には税金である。国民に直接給付するようなヘリコプターマネーも、BIの一種ということができる。私は、税金を財源としたBIを固定BIと呼び、ヘリコプターマネーベースのBIを変動BIと呼んでいる。

固定BIは、最低限の生活を保障するためのBIを意味しており、安定した財源を必要とするので、税金を原資にするのが妥当だろう。額は短期的には変更されず、長期的な経済の動向を鑑みて、国会の議決を経て変更される。

一方、変動BIは景気をコントロールするためのBIであり、その額はインフレ率や失業率に応じて変動させる。デフレ不況が続けば変動ＢＩの給付額を増やし、逆にインフレ好況が続けばその額を減らす。

イギリスの経済学者でＢＩ支持者のガイ・スタンディングは、安定化グラントというＢＩ的制度を提唱している。これは、「景気循環のサイクルに合わせて給付額を変動させるタイプのベーシックインカム制度」[47]だという。

変動ＢＩは、スタンディングのいう安定化グラントに類似している。ただし、私のいう変動ＢＩはヘリコプターマネーをベースにしている。

固定ＢＩと変動ＢＩから成る2階建てＢＩが、いずれマクロ経済政策と再分配政策のスタンダードになるだろうと私は確信している。しかし、それがいつの時期になるのかは全く分からない。ＢＩはともかくヘリコプターマネーの意義を理解してもらうのは難しい。人類にはまだ早過ぎるのかもしれない。

本章のまとめ

Summary 7

●中国は清朝末から長い混乱期に入り、改革開放が宣言された1978年に持続的な経済成長が始まった

●中国がこれから中所得国の罠に陥るという見解もある（アセモグル&ロビンソン）

●教育とイノベーションという2点をクリアしているので、中国が中所得国の罠に陥る可能性は低い

●機械化経済（今の資本主義）では、先進国は1～2%程度の成長率に落ち着く

●純粋機械化経済は、AIなどによって生産が自動化された未来の経済である

- 純粋機械化経済では、年々成長率が上昇する爆発的な経済成長が可能となる
- 2030年以降、純粋機械化経済に移行した国々と機械化経済を維持した国々とでAI時代の大分岐が生じるだろう
- テイクオフ（爆発的な経済成長の路線に乗る）を最初に開始する国は中国になるのでは
- テイクオフを早めに実現するには、国はAIなどの研究開発を促進させるだけではなく、財政・金融政策によって家計の保有するお金の量を増やす必要がある

The Pure Mechanized Economy_Chapter 8

第8章

AI時代の国家の役割

——中枢を担うのは国家か、プラットフォーム企業か

わたしはいた、そしてわたしはいなかった。わたしはとらえられ、われを失い、最大の遍在状態《ユビキテ》の中にいた。幾千もの微かなざわめきが、わたしを無数の断片に切り刻んでいた

——アンリ・ミショー『みじめな奇蹟』[48]

この神話的な時代にあって、我々は皆、キメラ、すなわち、機械と生体のハイブリッドという理論化され製造された産物であり、要するに、我々はサイボーグである

——ハラウェイ『猿と女とサイボーグ』[49]

1

1968年革命

敷石の下は砂浜だ

文化大革命期に紅衛兵は、『毛主席語録』を常に携帯していた。英語で"Little Red Book"というこの真っ赤な表紙の本が、赤いテーブルクロスの上に山積みにされた鮮烈な場面の現れる映画がある。フランスのジャン=リュック・ゴダール監督の「中国

パリ5月革命

1968年5月パリで学生が主導して起きたゼネラル・ストライキ。写真のバリケードは、敷石と街灯を積み上げて作られている（©Granger／PPS通信社）

女」だ。

文化大革命が始まった翌年1967年夏のパリで、後にゴダールと結婚するアンヌ・ヴィアゼムスキー演じる女子大生ら5人は、マルクス主義について勉強する合宿を行う。

北京放送を聴くと紅衛兵のニュースが流れてきて、感化された5人は毛沢東主義者（マオイスト）として目覚める。その後合宿は次第に過激さを増していき、殺人事件にまで発展するのだった。

「中国女」は、1968年パリで起こった5月革命を予見したような映画だと言われている。『中国女』を観た者は、五月の学生たちが、『中国女』の脚本通りに革命を演じたという印象を受けて驚くだろう」[50]。
革命といっても、政治体制が転換したわけではなく、政権交代すら起きていない。
当時のド・ゴール政権は総選挙によってむしろ票を伸ばしたくらいだ。

5月革命の具体的な事件というのは、学生が労働者を扇動して引き起こしたゼネラル・ストライキ（あらゆる業種で行われる全面的なストライキ、ゼネスト）にすぎず、世界史的な視点で見るとこのゼネストは些末事にすぎない。

確かに5月革命は一面としては、「中国女」と同様の文化大革命を真似た学生の革命ごっこである。革命としての体を成していないので5月危機とも言われるくらいだ。

一方でこれは、アメリカのヒッピー・ムーブメントや各国の学生運動とともに「１９６８年革命」（68年革命）としてくくられ、現在にまでつながるエコロジー運動、LGBT解放運動、その他、様々な人道活動の源泉となっている。

例えば、5月革命時にパリ大学のストライキ委員会の幹部だったベルナール・クシュネルという医師は、国境なき医師団の設立者の一人でもある。政治の革命としては失敗だったが、文化・社会の革命としては成功したのだ。

ヒッピー・ムーブメントは、近代文明を批判し否定する運動であり、東洋思想への傾倒やノマド（放浪）的生活、原始的コミューン（共同体）の形成を含んでいる。現在にまでつながるヨガブームもこの頃から起きており、ビートルズのメンバーがインドでヨガの修行をしたのも1968年のことだ。

第1章で紹介した「インドが育んできた文明はこの世で最高のもの」というガンディーの言葉を想い起こしてほしい。1968年当時の若者の中には、そう思った者も少なくなかっただろう。近代文明批判であり反戦運動でもあったヒッピー・ムーブメントは、ガンディー的な思想の展開でもあったのである。

毛沢東は1939年に、スターリンに対する誕生日の祝辞として、マルクス主義の本質は造反有理《ぞうはんゆうり》であると述べた。

造反有理は反逆、反体制にこそ道理があるといった意味で、紅衛兵はこの言葉をスローガンとして用いていた。日本の学生も真似をして、大学キャンパスの立て看板にこの四文字を描いたり、壁に落書きしたりしている。

実際のところ、造反有理はマルクス主義の本質とは言い難いが、68年革命の得も言えぬ空気感を表現している。当時の学生は、とにかく既成のあらゆるものをぶち壊したかったのだ。

敷石をはがして警察官に投げつけて、仕返しに放水や催涙弾を浴びる日々の中で、何を求め、何に反発し、何から解き放たれようとしていたのか、彼ら自身も明確に分かっていなかっただろう。だが、学生たちの願いは忘れた頃になって形を成し、実を結んでいった。

恩寵の扉は閉じられた

1968年は何かと物騒な年だった。3月にベトナムのソンミ村でアメリカ軍による虐殺が起き、4月にマーティン・ルーサー・キング（キング牧師）が、6月にジョン・F・ケネディの弟で当時大統領候補だったロバート・ケネディがそれぞれ暗殺された。同じく6月には、ポップアートの旗手アンディ・ウォーホルが全男性抹殺団のメンバーの女性に狙撃されている。

そうではあるが、いや、だからこそ1968年前後は20世紀で最高レベルに文化が沸騰した時期でもある。1970年以降とりわけロックの衰退は著しい。

イギリスのロックバンド、キング・クリムゾンのギタリスト、ロバート・フリップはこう述べている。

67年から69年までの三年間は「恩寵の扉」が開き、さして才能のないミュー

ジシャンにさえ、開いた扉から光が降り注いだ

ところが70年代に入ると、なぜか「恩寵の扉」が閉じてしまった。閉じた扉が開くのを待ち続けて30年が経ち、そして今も待っている

――ロバート・フリップ[51]

確かに１９７０年にビートルズは解散し、アメリカのミュージシャン、ジミ・ヘンドリックスとジャニス・ジョプリンはともに27歳で死亡した。１９７１年にはアメリカのロック・バンド、ドアーズのボーカリスト、ジム・モリソンがパリのアパートで死んでいる。やはり27歳だった。

アメリカのロック・バンド、イーグルスが１９７７年にシングルカットした「ホテル・カリフォルニア」という曲に、“We haven't had that spirit here since nineteen sixty nine”という一節がある。

「当ホテルでは１９６９年以来そのようなスピリット（お酒あるいは魂）はお出ししておりません」という意味だ。１９６９年以来ロックの魂が死んで、商業ロックがはびこったことを暗示している。

1970年代には、世界的に経済が停滞するとともに、学生運動やヒッピー・ムーブメントも退潮した。そればかりでなく、ロックやジャズといった音楽は、魂が抜けて金儲けの手段に成り下がったと言われている。

ゴダールらがフランスで巻き起こした映画における革新運動、ヌーヴェル・ヴァーグも終焉を迎えた。「俺たちに明日はない」「イージー・ライダー」「いちご白書」など68年革命の精神を反映したような一連の映画群であるアメリカン・ニューシネマも衰退していった。

それでも、68年革命の精神は人々の心の奥底に潜伏し続けていた。エコロジー運動やマイノリティ運動ばかりでない。後で述べるように、ITによって68年革命はもう一度回帰するのである。

幻覚剤がもたらす心のアナーキズム

68年革命の精神を『アンチ・オイディプス』(1972年)や『千のプラトー』(1980年)といった思想書として結晶化させたのが、5月革命の直後、パリで出会ったドゥルーズとガタリ(D&G)だ。

5月革命の学生はフランス政府の官僚主義や父権主義に反対していたし、ヒッピーは東洋思想に傾倒するとともにノマド的生活を送っていた。

『アンチ・オイディプス』という題名は、ジグムント・フロイトの提唱した父権主義的な精神分析（オイディプス・コンプレックス）に対するアンチを意味する。『千のプラトー』でなされたツリー的官僚主義に対する批判やノマドの哲学については、既に第2章で論じた通りだ。

D&Gの思想を雑にくくると、現在密かに支配的となっている思想的潮流の一つであるアナーキズムということになる。アナーキズムは、そこかしこで無法者が乱暴狼藉を働いている無秩序な社会を意味するのではなく、本質的には中枢（コア）の否定を意味する。

中枢の具体例として、国家における政府や行政機構、人間における自我や主体性などが挙げられる。アナーキズムは、これらのあらゆる領域で議論の対象となり得る。社会におけるアナーキズムとともに、自我という中枢を否定する心のアナーキズムもあり得るのである。

D&Gは、自我による統御がなされず、有機的な統一を失った身体を「器官なき身体」と名づけた。もともとは、フランスの詩人で俳優のアントナン・アルトーの言葉だ。アルトーは、バーチャル・リアリティ（VR）という言葉の発案者でもある。

アルトーは、

身体は身体だ／他に何もない／器官などいらない／身体は決して有機体ではない／有機体は身体の敵なのだ[52]

――アルトー

と謳っている。

「器官なき」というのは、口という器官が口としての、手が手としての、足が足としての役割を果たさないということだ。意味が分からなければ、生まれたばかりの赤ん坊のことを想像してほしい。

赤ん坊の口は咀嚼するための役割を、手は物をつかむ役割を、足は歩くための役割を、それぞれ果たしていない。赤ん坊の身体は、器官なき身体に近いのである。D&Gも「卵はCsOである」[53]とか「CsOが子供時代に結び付く」[54]などと言っている。「CsO」は、「器官なき身体」（フランス語で"Corps sans Organes"）の略だ。

第2章で、私は「人間は何物にもなり得る可能性を宿した卵として生まれてくる」と述べた。この卵というのは、まさに器官なき身体だ。人間が、狼になったり、サメになったりといった生成変化を行い得るのは、人間の身体が器官なき身体として生まれてくるからだ。

人間は赤ん坊から成長するにつれて、自我が芽生え、意志によって身体を制御できるようになり、口や手、足といった各器官は、自我の支配に服するようになる。「器官なき身体を目指す」というようなことが『アンチ・オイディプス』や『千のプラトー』でたびたび主張されている。マゾヒストは、「器官の活動を停止させるため」にサディストに眼や肛門を縫い合わせてもらう。マゾヒストだけでなく、麻薬中毒者の身体も器官なき身体に近いという。

一文の得もないのに何のためにそんな身体に近づかなければならないのか、私のような常人には理解し難い。だが、仏教徒が解脱を目指すのと同列に考えると、少しはその動機が分かるような気がする。

器官なき身体は、一つの支配的な自我が消失した状態という意味では仏教の「無我」の境地に通じる。この身体を獲得した者にとっては、もはや自分と他人の区別や人間と自然の区別はない。

その一方で仏教との違いも著しく、仏教では欲望（煩悩）の克服が目指されるが、D&Gはむしろ欲望を肯定する。器官なき身体は分裂症的な身体であり、多数の欲望がうごめき得るプラットフォームのようなものだ。

したがって、器官なき身体を目指して得られるのは、無我というよりは多我（多数の自我）の境地だろう。人間は潜在的には、多数の自我が多方向に向かって走り出し、千々に切り裂かればかりの錯綜した心身を持っている。

私たちが通常錯綜せずに済んでいるのは、一つの支配者たる自我が絶対君主のように、こうしたアナーキーな欲望たちの流れを制御しているからだ。

68年革命期に、一部の学生はＬＳＤや大麻などのドラッグによって自我が溶解したような変性意識状態を体験した。そういう意味でもやはり、Ｄ＆Ｇの思想の背景には68年革命があると言えるだろう。

メスカリンやＬＳＤなどの幻覚剤を摂取すると、知覚が歪んだり、極彩色の幻覚が現れたりするだけでなく、宇宙と自分が一つに溶け合ったようなワンネス体験を味わうこともあるという。

私がメスカリン文学と呼んでいる一連の表現がある。アメリカの作家オルダス・ハクスリーの『知覚の扉』（平凡社）やフランスの詩人で画家アンリ・ミショーの『みじめな奇蹟』（国文社）などだ。ドアーズというバンド名はこの『知覚の扉』（The Doors of Perception）に由来している。

ハスクリーは、メスカリンがもたらした体験を、

――すべてが〈内なる光〉に輝き、無限の意味へ満たされている世界へ。例えばあの椅子の脚――その管状の丸みのなんと奇跡的なことか、その磨き上げられた滑らかさのなんと超自然的なことか！　私は数分間――いや、数世紀間であったろうか――その竹製の脚を凝視していただけでなく、現実に私がその脚そのものであった――というよりは、その脚において私が私自身であった。いや、もっと正確にいうなら（『我』はこの場合に係っていなかったし脚自体もある意味では係っていなかったから）、私は椅子という〈非自我〉における私の〈非自我〉であった

――ハクスリー『知覚の扉』55

と表現している。

それは、自分と他のものとの境界が感じられないような自他未分状態であり、仏教における無我の境地に近いかもしれない。

実際、LSDは1960年代にはインスタント禅と呼ばれており、長く厳しい修行を経ることなく、簡便に無我の境地に至るためのツールと見なされていた。あるいはまた、メスカリンやLSDがもたらすのは仏教的な無我の境地ではなく、D&G的な

多我の境地かもしれない。

哲学者で立命館大学大学院准教授の千葉雅也氏は、本章の冒頭に掲げたミショーの『みじめな奇蹟』の一節を、器官なき身体の状態を表したものとして取り上げている。[56]

美は乱調にあり

器官なき身体に関わるD&Gの思想を、私は「心のアナーキズム」と呼ぶが、アナーキズムという言葉は通常、精神における中枢（自我）の否定ではなく、社会における中枢（国家）を否定する無政府主義を意味する。

アナーキストは、無政府を志向する傾向にあるが、だからといって多くの場合、無秩序を志向しているのではない。そうではなく、むしろ自生的秩序を求めている。

自生的秩序というのは、権力による上からの統制なしに形作られる秩序だ。例えば、順番待ちの列を自然と形成するようなことだ。日本人は、自生的秩序を作るのが得意であり、そういう意味ではアナーキズムと親和性が高い。

アナーキストというと、暴力的という印象も強いかもしれない。確かに、反マクドナルド運動を展開し、マクドナルドの店舗を破壊して回ったフランス人のジョゼ・ボヴェのような暴力的なアナーキストもいる。だが、暴力的かどうかはアナーキズムの本質ではない。

アナーキストの代表格は、フランス人のピエール・ジョゼフ・プルードン、ロシア人のミハイル・バクーニン、同じくロシア人のピョートル・クロポトキンであり、彼らはジョゼ・ボヴェにも強い影響を与えている。

バクーニンは武装蜂起を指揮した。プルードンやクロポトキンは逮捕されているが、それは彼らが街中で暴れ回ったからではなく、彼らの政治活動を弾圧するためだ。

日本では、明治天皇の暗殺をたくらんだ嫌疑で不倫相手だった管野スガとともに処刑された幸徳秋水や関東大震災の直後に同じく不倫相手の伊藤野枝とともに憲兵に殺害された大杉栄などが、代表的なアナーキストだ。

幸徳秋水も管野スガも濡れ衣を着せられたのであり、今ではおよそ無実と見なされている。歴史的にはアナーキストを弾圧する側の方が、むしろ暴力的なくらいなのである。

彼らは社会主義者でもあるが、アナーキズムが左翼とは限らず、ドイツの哲学者マックス・シュティルナーなどの個人主義的無政府主義や徹底的な民営化を唱えるマレー・ロスバードなどのアナルコ・キャピタリズム（無政府資本主義）もこれに含まれる。

戦前の日本には、権藤成卿《ごんどうせいきょう》や橘 孝三郎《たちばなこうざぶろう》といった右翼思想家と見なされているアナーキストも活躍していた。ただ話が煩雑になるので、ここではそういった民族主義系のアナーキストについては置いておくことにしよう。

重要なのは、権力を集中させた中枢（国家）を否定するのがアナーキズムであり、民族主義に賛成するか反対するかとか、資本主義に肯定的かどうかを問わないということである。

権力が一箇所に集まり中枢を成している状態が集権で、その逆が分権だ。図8・1では、横に社会主義―資本主義の軸をとっており、縦に集権―分権の軸をとっている。民族主義については割愛した。

この図では、政治的に集権的なのか否か、経済的に集権的なのか否かを区別していないが、前章で論じたように実際には政治と経済の両面がある。

資本主義を肯定するか否かにかかわらず、アナーキズムは分権的な政治経済体制を目指している。1991年に、ソ連共産党と中央当局が政治も経済も一手にコントロールする集権的システムの極限であるソ連型社会主義体制が崩壊した。そのため、対極にあるアナーキズムの方向、分権的システムの方向へ人々が向かうのはある種の必

図8・1　アナーキズムの位置づけ

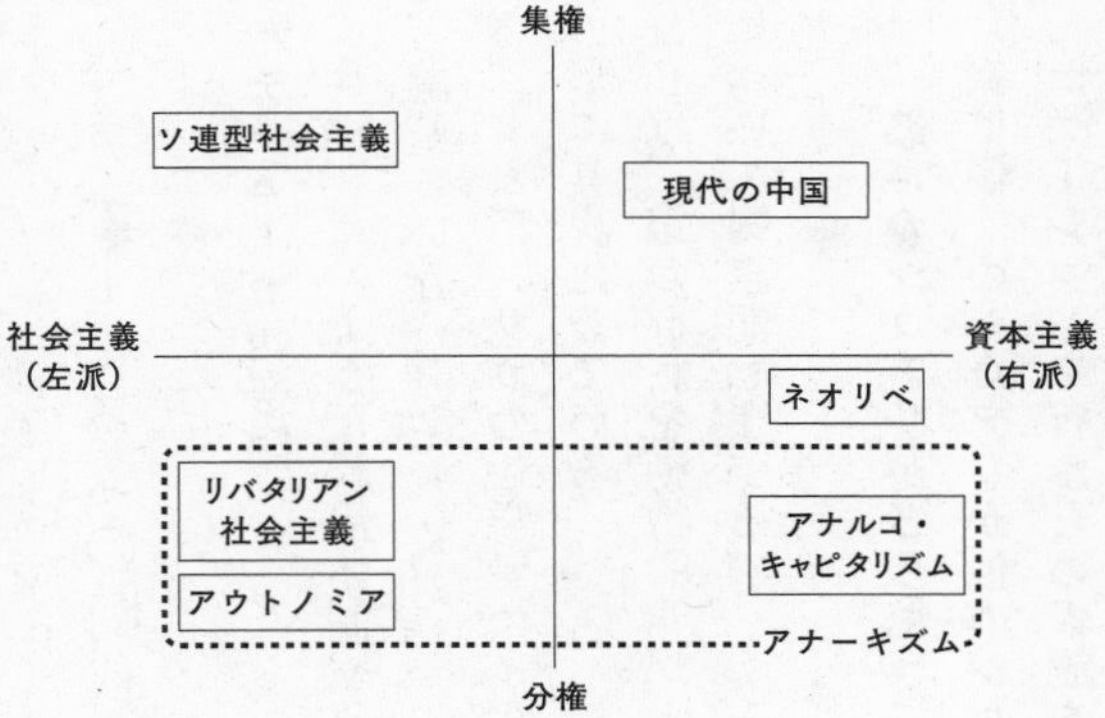

出所：筆者作成

然と言える。

現在のアナーキズムは、

⑴ ドゥルーズ&ガタリの思想
⑵ カリフォルニアン・イデオロギー
⑶ リバタリアニズム

という三つの源泉を持っており、いずれも中枢＝国家に対して否定的だ。もう少し正確にいうと、⑴は中枢の否定だが、⑵は中枢の軽視、⑶は中枢の縮小化の働きとしてそれぞれ位置づけられる。

2 なぜ今アナーキズムの時代なのか

マルチチュードvs.帝国

D&Gは、どのような政治体制や政治運動が望ましいかということを具体的にはほとんど論じていない。それに対し、D&G主義者であるイタリアの哲学者アントニオ・ネグリとアメリカの哲学者マイケル・ハートは、D&Gの思想をより明確な政治運動の形に具現化している。

D&Gは、蟻の群れを動物的リゾームの例として挙げており、ネグリ&ハートもまた蟻について書き記している。

熱帯のシロアリがどうやって巨大で精巧なアリ塚を作るのかについて、専門家は個々のシロアリが他のシロアリの残したフェロモンを追うことで、コミュニケーションを行うとの仮説を立てている。一匹一匹のシロアリは高い知能をもっていなくても、群がりとしてのシロアリは集権的なコントロールなしに一

つの知性システムを形成する

——ネグリ&ハート『マルチチュード』57

このような蟻に見られる群がりの知性は、ネグリ&ハートによってマルチチュードが形作る秩序の説明に用いられている。マルチチュードは、群衆とか民衆といったような意味だ。

近代的な保守主義の始祖である政治思想家エドマンド・バークは、フランス革命を起こした群衆たちを「豚のようなマルチチュード」と言って非難した。もともとネガティブな言葉だったマルチチュードを、ネグリ&ハートはポジティブな意味に変容させて、多様な人々から成る自由と平等を目指すリゾーム的かつ世界的な運動体を表すのに使った。すなわち、それは中枢（中心的な権力）を持たない群衆の世界規模の分散型ネットワークであり、蟻のような群知性と自生的秩序を持っているのである。

彼らはアナーキズムという言葉を避けているが、それは無秩序を目指しているわけではないと言いたいからだ。しかし、そもそもアナーキズムは多くの場合無秩序ではなく自生的秩序を、国家権力なしの自己統治を意味しているので、この言葉を避ける必要はないだろう。

ネグリ&ハートは、2000年に『帝国』(以文社)で、複数の主権国家や国際機関、グローバル企業、NGOなどから成る世界的な支配体制を「帝国」として位置づけた。当時、アメリカは唯一の超大国として突出した存在だったが、「帝国」はアメリカのみを直接指しているわけではない。

「帝国」は多様な組織から成るリゾーム状の世界的秩序であり、その対抗馬であるマルチチュードもまたリゾーム状の秩序を織り成している。

ネグリはイタリアにおけるアウトノミア運動(オートノミズム、自律主義)の指導者だった。アウトノミア運動は、資本や国家に対抗するために学校や工場、病院の自治権を確立する運動だ。この運動から生まれてきたコンセプトが、マルチチュードである。

『帝国』において、「帝国」とマルチチュードが対置させられている。それはちょうど、マルクスとエンゲルスが資本家と労働者を対置させたかのようだ。それゆえに、『帝国』にはスロヴェニアの哲学者スラヴォイ・ジジェクによって「21世紀の共産党宣言」といったキャッチコピーがあてがわれている。

それにしてもマルチチュードは、帝国に拮抗し得るだけの力を持ち得るのだろうか。アメリカやグローバル企業から成るその巨大システムに勝てる目算なんかあるのだろうか。

『帝国』では、インターネットを用いたマルチチュードの世界的な連帯が謳われている。インターネットを最初に政治運動に使ったのは、メキシコの革命組織、サパティスタ民族解放軍（サパティスタ）であり、『帝国』の出版より前のことだ。マヤ人などの先住民を中心とする農民は、北米自由貿易協定（NAFTA）といった新自由主義的なグローバル政策によって、失業や貧困に陥ろうとしていた。彼らは、サパティスタを組織して1994年1月1日のNAFTA発効日に武装蜂起したのである。サパティスタのリーダーは持ち回りで、表看板の役割を果たしていたマルコスという人物は副司令官と自らを称した。中枢を否定するマルチチュード的組織と言うことができるだろう。

こうした例はあるものの、『帝国』が出版された2000年以前に、インターネットを使った政治運動はメジャーではなかった。だが、2010年代に入ってから次々と見られるようになった。

一人の青年の抗議の焼身自殺から始まる2010年のチュニジア民主化運動、ジャスミン革命では、中心となる人物も組織もないままフェイスブックやツイッター、ユーチューブなどによってデモが拡大して、政権の崩壊にまで至った。

ジャスミン革命が飛び火して起こった2011年のエジプト革命でも、インターネットがデモを呼びかけるための主な伝達手段となっている。その他、モロッコやサウジアラビアでも革命には至らないまでも、フェイスブックの呼びかけで大規模デモが巻き起こっており、これらはすべてひっくるめ「アラブの春」と称されている。

ネグリ&ハートが展望したような、マルチチュードによるインターネットを武器にした運動は、まさにアラブの春として具現化した。そうではあるが、地球上のマルチチュードによるグローバルな運動は巻き起こっていない。国から国へと飛び火するのがせいぜいのところだ。

これには、各国間で言葉の壁があるということ以上に、群衆が苦情を申し立てる先がいまだに各国の政府ということが大きく影響している。アメリカが世界中で好き放題権力を振るっても、巨大IT企業がグローバルな展開を見せても、憎らしいのは我が国の独裁者というわけだ。

やたらとグローバル化が叫ばれているこの時代であっても、経済政策を行ったり、圧政を敷いたり、言論弾圧を行ったりするのは、すべて各国の政府だ。人々が思うよりも近代国家の枠組みはずっと強固なのである。

それゆえ今のところ、グローバル資本主義に対抗するために、グローバルにマルチチュードが連帯するなどということは起きる気配すらない。

しかしながら、ＡＩの高度な発達によって格差が拡大し貧困が増大する未来には、国境を越えた地球規模のベーシックインカム（ＢＩ）を巨大ＩＴ企業に対し要求する声が世界中から湧き起こらないとも限らない。ネグリ＆ハートも『帝国』でＢＩの導入を要求している。

リバタリアニズム

「リバタリアニズム」（自由至上主義）は、政治・経済両面にわたって、国家による個人に対する干渉を縮小化しようとする思想だ。

警察や防衛などの国家の最小限の役割を認める場合が多く、その場合、アナーキズムと区別するために、ミナキズム（最小国家主義）と言われる。ミナキズムは小さな政府を志向する立場であり、これこそがリバタリアニズムの本流だ。国の担う事業をできる限り民間にゆだねて、政府の最小化を図るのである。

それゆえに、リバタリアニズムは、中枢の縮小化として位置づけられる。とはいえ、アナーキズムとミナキズムの違いは、極端かほどほどかの違いでしかない。リバタリアニズムとアナーキズムは、似たり寄ったりの意味を持っている。アナー

ミルトン・フリードマン
Milton Friedman (1912-2006)
20世紀アメリカの経済学者。著書に『資本主義と自由』があり、リバタリアンの始祖の一人。1976年にノーベル賞を受賞した（©IMAGIO／アフロ）

キーな社会主義のことを、リバタリアン社会主義と呼んだりするくらいだ。アナーキーな資本主義のことは、アナルコ・キャピタリズムという。

先ほど取り上げたアナルコ・キャピタリスト（無政府資本主義者）のロスバードは、極端なリバタリアン（リバタリアニズムの提唱者）として位置づけられる。ロスバードは、防衛や司法すらも民営化し市場原理に任せるべきだと唱えた。

他に代表的なリバタリアンとして、オーストリアの経済学者でノーベル賞受賞者のフリードリヒ・ハイエクやアメリカの経済学者で同じくノーベル賞受賞者のミルトン・フリードマン、それからアメリカの哲学者ロバート・ノージックが挙げられる。

とりわけ大きな影響力を持ったフリードマンは、イギリスのマーガレット・サッチャー首相やアメリカのロナルド・レーガン大統領の思想的導師《グル》だ。

ただしサッチャーやレーガンは、1980年代に国有企業の民営化を推し進めたり、規制緩和を推し進める一方で、伝統的な価値観を重んじる権威主義者であった。それゆえ、彼らの政治的立場である新保守主義ないし新自由主義（ネオリベラリズム、ネオリベ）は、リバタリアニズムとは区別すべきであろう。

リバタリアニズムは、新保守主義としばしば混同されている。確かに、経済的自由について論じる限り、両者は同じものと見なせるが、リバタリアニズムは政治・社会的自由をも重んじる点において、新保守主義とは異なっている。

例えば、リバタリアンはフリードマンのように徴兵制度に反対するが、新保守主義者は徴兵制度に肯定的な場合が多い。徴兵は国家が個人の自由な営みを侵害するものなので、リバタリアンには忌避される。あるいはまた、同性愛について、リバタリアンは個人の自由だと考えるが、新保守主義者は伝統的価値観に基づいて否定するはずだ。

ネオリベは、狭義には新保守主義とほぼ同じに用いられる。広義には、政治的自由については問わず、すべての経済的自由を重んじる立場で、リバタリアニズムから新保守主義までを含む概念だ。

近年ネオリベが便利なレッテルとして多用されており、ほとんど内実のない悪口として使われることも多い。逆に言えば、ネオリベ化が進んだがゆえに、それを恐れる人々、反ネオリベ派も増大した。

かなり大まかなことを言えば、自民党政権下の日本が長期的にネオリベ化してきたことは否定できない。1980年代から国鉄や電電公社、道路公団、郵政事業などの民営化が図られてきたし、所得税の最高税率は1974年の75%から段階的に引き下げられ、今では45%足らずになっている。

D&Gやネグリ&ハートの思想がいかに世界に広まったかを言ったところで、アナーキズムをごく一部の左派や反体制派が抱くマイナーで空疎な思想にしか思えない人が多かったかもしれない。

ところが、ネオリベもアナーキズムに基づいていると知った今ではどうだろうか。アナーキズムが現在支配的な思想であることは否定できなくなっただろう。

麦畑がバッハの曲を奏でる

カリフォルニアン・イデオロギーは、ITによる世界の変革を目指した思想・志向だが、イギリスの政治学者リチャード・バーブルックとアンディ・キャメロンは、ヒッピー的反権威主義とヤッピー的起業家精神の「ふしだら」[58]な融合と言っている。

ヤッピーというのは、"Young Urban Professionals"の略、"YUP"（ヤップ）の派生語であり、若くて都市部に住むお金持ちのエリートを指す言葉としてアメリカで用いられてきた。

カリフォルニアン・イデオロギーは、ハッカー思想の一種として位置づけられる。だが、そこではハッカーがもともと持っていた反体制的な志向は損なわれ、代わりに金儲け主義が取り入れられている。

カリフォルニアン・イデオローグたるハッカーは、ヒッピーのように権威や伝統にとらわれない自由な生き方を好むが、それとともにヤッピーのようにビジネスで金銭的な成功を収めようとする。

ヒッピー的といっても、ハッカーはもはや原始的コミューンを形成することもなく、反戦デモや反体制運動に長い時間を費やすこともない。便利なソフトウェアを作ったり、ネットサービスを展開したりすることで、自らお金持ちになりつつも世界をユートピアに近づけることを志向する。

1960年代のヒッピーは、セックスとロック、ドラッグによって、あるいはラブ&ピースを唱えることによって、今ここにユートピアを現出させようとした。それに対しハッカーは、ITを進化させることによって、長い迂路を経てユートピアに至ろうとしている。

アップルを創設したスティーブ・ジョブズの前半生は、ヒッピーからハッカーへのドラスティックな転身の物語と見ることができる。

裸足で長髪、風呂に入らず、東洋思想に傾倒し、放浪癖があり、ドラッグで神秘体験を得ようとする。青年時代のジョブズは典型的なヒッピーだ。LSDをキメて、麦畑がバッハの曲を奏でるという幻覚も体験している。

LSDはすごい体験だった。人生でトップクラスというほど重要な体験だった。LSDを使うとコインには裏側がある、物事には別の見方があるとわかる。効果が切れた時、覚えてはいないんだけど、でもわかるんだ。おかげで、僕にとって重要なことが確認できた。金儲けではなくすごいものを作ること、自分にできるかぎり、いろいろなものを歴史という流れに戻すこと、人の意識という流れに戻すこと。そうわかったのはLSDのおかげだ

——アイザックソン『スティーブ・ジョブズ』59

ジョブズのLSD体験がなければ、マッキントッシュもアイフォンもこの世にはな

かったかもしれない。多くの人々には世界の表側しか見えていないが、幻覚剤を使えば裏側をも見通すことができる。それがクリエイティヴィティの源泉になり得る。

世界の裏側とは一体何なのか。言語化し難いその裏側を、生成変化、分裂症、器官なき身体といった言葉で巧みに表現しようとしたのが、D&Gの『アンチ・オイディプス』であり『千のプラトー』だ。

アナーキー・イン・カリフォルニア

ヒッピー生活を送っていたジョブズは、１９７４年コンピュータゲーム会社アタリを突然訪問し、「お巡《まわ》りを呼ぶかい？　なかに入れるかい？」[60]などと言って押し売りのように居座り、社員にしてもらった。

そこでジョブズに与えられた仕事は、新製品のゲーム機、ブレイクアウト（ブロック崩し）の部品を減らすことだった。ＤＱＮというＡＩがプレイヤーとなって裏技まで編み出し、人間のプロを上回る高得点をたたき出したあのゲームだ。

当時、アタリでは大麻を吸いながら会議を行うことがあり、逮捕者が続出していた。刑務所の壁を崩して外に出たいという願望がこのゲームを誕生せしめたという逸話もある。ハッカー文化は、部分的にはヒッピー文化と地続きだったのである。

ジョブズはこの部品減らしという仕事が大変だったため、夜な夜なヒューレット・パッカード社の社員だった友人のスティーブ・ウォズニアックをアタリ社内に引っ張り込んで手伝わせた。

後はよく知られている通り、この二人のスティーブは、アップルⅠというパソコンを開発した。続くアップルⅡは、歴史上初めて大量に販売されたパソコンとして成功を収めた。

ジョブズにせよ、マイクロソフトの設立者ビル・ゲイツにせよ、ビジネスに成功したハッカーはみなお金持ちになる。彼らは、自由で競争的で格差を生じさせる社会を否定したりしない。したがって、カリフォルニアン・イデオロギーをサイバー・リバタリアニズムと呼び換えることもできるだろう。

自由を志向し資本主義に対して肯定的という意味では、カリフォルニアン・イデオローグ、つまりサイバー・リバタリアンはアナルコ・キャピタリストのようだ。ただし、彼らは国家の役割を小さくせよなどと声高に唱えたりしない。

国家の役割を単に軽視し、国家ではなく自分たちこそが全世界の人々をユートピアに導くのだと確信している。それゆえに、カリフォルニアン・イデオロギーは中枢の軽視として位置づけられるのである。

ジョブズは、「顧客はより幸せでよりよい人生を夢見ている。製品を売ろうとするのではなく、彼らの人生を豊かにするのだ[61]」と言っているし、グーグルの共同設立者ラリー・ペイジは、

結局のところ目指したいことは、テクノロジーを途方もない規模で有用に使うことなんです。人々をサポートし、人々の暮らしを豊かにし、よりよい社会を作れるようなテクノロジーの進化……その視点に立ったグーグルのミッションとは、世界中の情報を集めて、だれでもユニバーサルなアクセスができるようにし、その情報を有効活用していくことですね

――ペイジ[62]

と社会への貢献を口にしている。一方で彼らが莫大な富を築いたのはまぎれもない事実だ。

サイバー・リバタリアンは「生々しい富への欲望を抱いたまま、無欲な共産主義者であるかのようにふるまう[63]」のである。彼らは、ヤッピーと同様に繁栄にとり憑かれている。売り上げを競い、利益を競い、時価総額を競い合っている。

他の誰かが人々の暮らしぶりを良くしてくれるなら、自分は無名の貧しい一市民で

いいなどとは考えない。自分こそが社会を変革に導かなければならないし、それは金銭的な成功と不可分というわけだ。

そんな彼らに対し「いろいろと高邁《こうまい》な講釈を垂れているけど、その実やっていることはただの金儲けじゃないか」と批判することは難しくない。

全人類の発展に貢献したいなどと理想論を唱えながら金儲けに汲々するハッカーのあり方を、矛盾とか偽善とか「ふしだら」[64]と見ることもできるだろう。だが、私はその点についてはことさら批判するほどのことではないと思っている。

『共産党宣言』をマルクスとともに起草したエンゲルスは実業家だったし、マルクスはエンゲルスの援助で生活していた。彼らの言葉を用いれば、労働者から搾取したお金で彼ら自身が生活していたということになる。

『21世紀の資本』をしたためて、世界的に不平等が拡大していることを指摘したフランスの経済学者トマ・ピケティは、最近の論文でバラモン左翼というパワーワードを使って、左翼政党を支持する高所得のエリートを皮肉っている。バラモンは、インドにかつてあった階級制度の最高位のことだ。昔も今も社会主義にハマるのは、エリートや富裕層だ。

ビートルズのメンバーだったジョン・レノンは「イマジン」で「想像してごら

ん所有のない世界を」と歌ったが、レコードの販売で築いた莫大な財産を放棄することはなかった。

マルクスやエンゲルス、バラモン左翼、ジョン・レノンに比べたら、サイバー・リバタリアンの方が矛盾の程度ははるかに控えめだ。彼らはブルジョア階級の打倒を呼びかける教義の信望者ではなく、所有のない世界を夢見るドリーマーでもない。

実質的な問題は、彼らが儲けていることよりも、税逃れをしていることにある。現在経済的に最も成功したハッカーは、GAFA（グーグル、アップル、フェイスブック、アマゾン）の経営者や社員だ。彼らはその凄まじい儲けに見合っただけの税金を払っていない。

トマ・ピケティ
Thomas Piketty (1971-)
現代のフランスの経済学者。2013年にフランス語で出版された『21世紀の資本』は、英語や日本語にも訳されて、世界的なベストセラーとなった
(©ZUMA Press／アフロ)

アマゾンは、イギリスにおける税負担率が約2％と言われており、たびたびやり玉に挙げられている。そうした現状を踏まえてイギリス政府は、2018年10月に巨大IT企業に狙いを定めたデジタル課税の導入を発表した。

税逃れと並んで大きな問題なのは、そ

もそもITに基づいて展開される彼らのサービスが、世の人々の暮らしぶりを向上させないケースがあるということだ。アメリカのピッツバーグ大学ブライアン・プリマック教授らの研究によれば、フェイスブックなどのSNSを閲覧すればするほど人々の幸福度は減少し、うつ病が増えるという。あるいはまた、第3章で既に示した通り、アマゾンが躍進すればするほど小売業者は倒産に追い込まれるのである。

3 未来の社会は「不要階級」と「不老階級」に二極分化するのか

いちご白書をもう一度

68年革命の精神とカリフォルニアン・イデオロギーの共通の特徴は、「創造的破壊」にある。68年革命が創造しようとしたものは、少なくとも当時は明確ではなかった。破壊しようとしたのは、伝統的な文化や慣習、官僚主義、資本主義的な価値観だった。

今日ハッカーが創造しているのは、ネットサービスやスマホ、様々なソフトウェアだ。破壊しているのは、紙の雑誌や新聞、本を読む習慣であり、街の小売店であり、アメリカの中間層である。

1968年、当時の学生たちは、既存の体制に異を唱えてデモや暴動を起こしたが、どのような体制を築くべきかというオルタナティブ（代替案）を持ち合わせていなかった。「何はともあれ破壊したい」。そういう衝動が若さゆえに先走ったのである。

そんな行くあてのない革命ごっこをいつまでも続けるわけにはいかないし、学生時代というモラトリアムが終われば、食べていくために働かなくてはならない。学生の多くは、デモや暴動から足を洗い、長髪をカットし無精ひげを剃って就職活動にいそしんだ。

日本で1970年代になっても懲りることなく革命ごっこを続けていた者たちは、山岳ベース事件のような身内どうしの凄惨なリンチ殺人事件やあさま山荘事件のような人質立てこもり事件、よど号ハイジャック事件のような飛行機乗っ取り事件を立て続けに引き起こし、世の良識ある人々を震撼させた。

アメリカでは全く様相が異なっている。ヒッピーや学生運動家の一部はハッカーとなって、ジーンズの着用が許される堅苦しくないコンピュータ会社やゲーム会社に就職したり、自ら起業したりしてモラトリアムを延長し、密かに革命を継続していた。

といっても学生時代の革命ごっことはまるで異なっている。暴動を起こしてもすぐに鎮圧されるし、政権をひっくり返したところで、その先に何が待っているのか分からない。

そんな無謀な革命ではなく、既成の概念をぶっ壊すような新しいＩＴを創造して、世の人々をあっと驚かせるような商品を世に送り出す革命だ。その商品とは、マッキントッシュやウィンドウズ、アイフォン等々である。

ジョヴァンニ・アリギとテレンス・ホプキンス、イマニュエル・ウォーラーステインの３人は、『反システム運動』（大村書店）で、68年革命は「何のリハーサルだったのか」という問いを立てている。彼らは、その問いには明確に答えられないと言っている。私はさしあたりハッカーが引き起こす情報革命のリハーサルだと答えたい。

それは何も私だけの突飛な思いつきなどではない。ジョブズの友人で、イギリスのロックバンドＵ２のボーカルであるボノは、

21世紀を発明した人々が、スティーブのように、サンダル履きでマリファナ

を吸う西海岸のヒッピーだったのは、彼らが世間と違う見方をする人々だからだ。東海岸や英国、ドイツ、日本などのように階級を重んじる社会では、他人と違う見方をするのは難しい。まだ存在しない世界を思い描くには、60年代に生まれた無政府的な考え方が最高だったのだ
——ボノ[65]

と語っている。幻覚的なドラッグにはまり、違う世界（アナザー・ワールド）を志向し既成概念を破壊しようとした元ヒッピーの無政府主義者（アナーキスト）だからこそ、アイフォンを世に送り出せたというわけだ。

あるいはまた、ジジェクは、

資本主義の新たな精神は、こうした1968年の平等主義かつ反ヒエラルキー的文言を昂然と復活させ、法人資本主義と〈現実に存在する社会主義〉の両者に共通する抑圧的な社会組織というものに対し、勝利をおさめるリバタリアン反乱として出現した。この新たな自由至上主義精神の典型例は、マイクロソフト社のビル・ゲイツやベン&ジェリーズ・アイスクリームの創業者たちといった、くだけた服装の「クールな」資本家に見ることができる

――ジジェク『ポストモダンの共産主義』66

と述べている。

　１９６８年の精神を半ば継承したサイバー・リバタリアンたちの革命的な反乱は鎮圧されることなく、伝統的な権威主義に対し完全に勝利した。売り上げの面でも時価総額の面でも。

　今や革命は、ある日ある場所で起こる武装蜂起なんかではなく、日々の絶えざる技術革新によって引き起こされる永久革命だ。無限に続く資本主義的発展こそがすなわち革命なのである。この永久革命の果てには何が待ち受けているのだろうか。

　ハッカーはインターネットに続いて、ＡＩという汎用目的技術を土台にし、画期的な商品・サービスを世に送り出して世界を変革しようともくろんでいる。ＡＩの進歩の果てに到来するのは、シンギュラリティ（技術的特異点）だ。シンギュラリティは一般に、ＡＩの知性が人間の知性を超える未来の時点を意味している。

　もう少し正確にいうと、ＡＩが自分より少し賢いＡＩを作れるとするならば、その賢いＡＩがさらに自分より賢いＡＩを作り、ということを高速に繰り返していくことで、あっという間に超ＡＩへと進化を遂げられることになる。これをシンギュラリティとか知能爆発という。

シンギュラリティ

近頃、シンギュラリティは、書籍やネット上の記事で盛んに扱われているが、もう50年以上前から技術的特異点という意味で用いられている言葉だ。

シンギュラリティをこの意味で最初に使ったのは、ハンガリー生まれの数学者、物理学者、経済学者のジョン・フォン・ノイマンだと言われている。ただし、ノイマンは会話の中でシンギュラリティについてちょっと触れただけだった。[67]

その後、イギリスの数学者I・J・グッドが「最初の超知的機械に関する推測」という論文で知能爆発について論じている。

シンギュラリティについて初めて公の場ではっきりと論じたのは、アメリカの数学者でSF作家のヴァーナー・ヴィンジだ。ヴィンジは1993年に発表した論稿「来るべき技術的シンギュラリティ」で、コンピュータのハードウェアの発達により、遅くとも2030年には人間を超える人工的な知性が誕生し、ほどなくして知能爆発が起きると言っている。

他に、シンギュラリティを論じた著名な学者としては、アメリカのAI・ロボット研究者のハンス・モラヴェックがいる。モラヴェックはムーアの法則に基づいて、2040年には人間並みの知性を身に付けた万能ロボットが現れると言っている。

ムーアの法則というのは、「インテル入ってる」でおなじみの半導体メーカー、インテル社の設立者ゴードン・ムーアが唱えた説で、一枚のチップに集積されるトランジスタの数が1・5年に2倍ずつ増えているというものだ。

それに応じてコンピュータの情報処理能力も上がっていき、モラヴェックによれば、ムーアの法則が今後も持続するのであれば、2040年には人間を超えるという。その時、人類は機械にこの地球の覇権を明け渡さなければならなくなるとモラヴェックは悲観している。

今日、シンギュラリティの唱導者として最も有名なのは、第3章でも触れたアメリカの著名な発明家レイ・カーツワイルだ。カーツワイルは、シンギュラリティが2045年に到来すると予測している。

2015年の時点で1000ドルコンピュータの計算速度はネズミの脳と同程度であったが、2025年には人間1人の脳に、2045年には全人類の脳すべてに比肩するようになるという。

要するに、2045年には、家電量販店で気楽に買えるパソコン一つで、全人類分の脳と同等の情報処理ができるようになるということである。カーツワイルのいうシンギュラリティには、AIがAIを作ることによって起こる知能爆発という含意はないので注意が必要だ。

カーツワイルは、モラヴェックと同様、ムーアの法則に基づいてシンギュラリティを論じている。ただし、モラヴェックとは違って、機械が人間に代わって地球を支配するといった悲観的な見方はしていない。

というのも、人間の方もコンピュータと融合することで、アップデートすると予測しているからだ。脳にチップをインプラントする（埋め込む）などして人間がコンピュータを取り込んだり、逆に人間の意識をコンピュータ上にアップロードしたりするという。

こうしたコンピュータと融合した新たな人間を、カーツワイルはポストヒューマンと呼んでいる。シンギュラリティには、このポストヒューマンという意味合いも含まれる場合がある。

知能爆発やポストヒューマンといった展望を含むシンギュラリティ思想は、カリフォルニアン・イデオロギーの延長上にある。カーツワイルのようなシンギュラリティの唱道者を、シンギュラリタリアンという。シンギュラリタリアンは、ハッカーの究極の姿だ。

シンギュラリタリアンはまた、戦争なき新しい未来派でもある。人間をオーギュメント（拡張）しエンハンス（強化）するＡＩとバイオテクノロジーの力に魅せられ、とり憑かれている。

文芸評論家の福田和也氏の言葉をみたび引用しよう。

マリネッティ的技術観に由来する形で、今日の先進国の大衆が、情報技術のもたらす未来なり、力なりを信じ、その齎《もたら》すと約束されている爆発的な情報と画像と超人的能力の千年王国にむけて突進している

――福田和也『イデオロギーズ』[68]

先進国の大衆というよりシンギュラリタリアンということになるが、彼らは確かにＡＩとバイオテクノロジーによって超人的能力を身に付け、新世界の神にでもなろうとしているかのようだ。

漫画『ジョジョの奇妙な冒険』で、敵役の青年ディオは「おれは人間をやめるぞ！」と叫び、謎の力を宿した石仮面をかぶることによって、人間の限界を超えた不老不死の吸血鬼になった。それと同様にシンギュラリタリアンは、人間を超越したポストヒューマンになり不老不死を手にしようとしている。

ホモ・デウス

ポストヒューマンは、ミシェル・フーコーの述べた「人間の死」の後に現れる超人のことかもしれない。超人はもともと、神の死の後にあってもニヒリズムに陥ることなく、自ら価値を生み出し生を肯定する者を意味するニーチェの言葉だ。

それがナチスによって、人間を超えた頭脳と身体能力を持った新たな生物種として進化論的に歪曲された。ナチスが敗れ去った後も、アメリカの漫画『スーパーマン』にせよ、日本の漫画『キン肉マン』にせよ、超人をフィジカルな能力面で人間を超えた者として描くことは一般的となっている。

ドゥルーズは、フーコーの「人間の死」に関する論考の中で、

> **人間における力は、外の力と関係する。炭素にとってかわる珪素の力、有機体にとってかわる遺伝子的な要素の力、シニフィアンにとってかわる非文法的なものの力などである**

超人とはいったい何だろうか。それは、これらの新しい力と結びついた、人間における力の組み合わせの形態である

――ドゥルーズ『フーコー』[69]

と述べている。炭素は生物を構成する主な元素であり、珪素《けいそ》（シリコン）は半導体の素材として使われている。すなわち、ドゥルーズはコンピュータや遺伝子工学が超人を生み出すと主張しているのであり、その意味するところはカーツワイルのポストヒューマンとそれほど変わらない。

ポストヒューマンや超人をユヴァル・ノア・ハラリ風に言い換えると、ホモ・デウス（神人）ということになる。ハラリは『ホモ・デウス』で、人間の脳を凌駕したアルゴリズムの出現によって、生身の労働者が不必要になると論じた。多くの仕事が人工知能に任せられるようになり、人間はお払い箱となるという。

二十一世紀の経済にとって最も重要な疑問はおそらく、膨大な数の余剰人員をいったいどうするか、だろう。ほとんどなんでも人間よりも上手にこなす、

知能が高くて意識を持たないアルゴリズムが登場したら、意識のある人間たちはどうすればいいのか?

――ハラリ『ホモ・デウス』[70]

ハラリは、“Useless class”という言葉を用いており、これは無用者階級、役立たず階級、不要階級などと訳されている。人類全員ではないにせよ、大量の役立たずの人間が発生するという。

二十一世紀には、私たちは新しい巨大な非労働者階級の誕生を目の当たりにするかもしれない。経済的価値や政治的価値、さらには芸術的価値さえ持たない人々、社会の繁栄と力と華々しさに何の貢献もしない人々だ。この「無用者階級」は失業しているだけではない。雇用不能なのだ――ハラリ『ホモ・デウス』[71]

その一方で、人類は、戦争と飢餓、疫病の克服には安住せず、次なる目標に向かって驀進《ばくしん》していくという。それは、テクノロジーによって肉体をアップグレードして、不死の超人(神人)になることだ。

17世紀の科学革命の後に神を殺した人類は、今自らホモ・デウス(神人)になろう

ユヴァル・ノア・ハラリ　Yuval Noah Harari (1976-)
現代のイスラエルの歴史学者。2011年にヘブライ語で出版された『サピエンス全史』は、英語や日本語にも訳されて世界的なベストセラーとなった
(©The New York Times／Redux／アフロ)

としている。既にグーグルは、死を解決することをヴィジョンとして掲げたキャリコという子会社を設立しているという。

ただし、肉体のアップグレードにはお金が掛かる。『銀河鉄道999』の物語を思い出してほしい。機械の体を買って永遠の命を生きられるのは、一部のお金持ちだけだ。

神戸大学の松田卓也名誉教授は、『ホモ・デウス』の描く未来を不老階級と不要階級の分化としてまとめている。

グーグルやアップルの社員などから成る不老階級は、実際には不死にまでは至らないにせよ肉体をアップグレードしながら末永くハッピーに生きる。不要階級は、仕事がないがために貧しく、生まれたままの肉体をこれまで通り老化させながら慎ましく死んでいく。

『ホモ・デウス』のシナリオに従うと、カリフォルニアン・イデオローグたるハッカーによる永久革命の先行きに待ち受けているのは、ＡＩに知性を追い越された多くの人間が不要階級を形成し、一部の優秀な人間だけが永遠に近い生命を得て不老階級を形成する、二極分化したディストピアということになる。

これがもう一つのＡＩ時代の大分岐だ。世界が、爆発的な成長を遂げる地域と停滞した地域に分岐するだけではない。国内でも、豊かな階級と貧しい階級に両極分化する。

未来をディストピアからユートピアに変えるには、否定され、縮小化され、軽視された中枢をもう一度取り戻さなければならない。一部のハッカーはそのことに気づき始めている。

4 ＡＩ時代にソ連型社会主義は可能か

ソ連は怠け者の楽園ではない

アナーキズムの対極にあるのは、中枢によって一国の経済全体がコントロールされるような体制であるソ連型社会主義だ。ＡＩ時代にふさわしい体制は、アナーキズムではなくソ連型社会主義だろうか。

勘違いされやすいことだが、ソ連では直接所得を等しくすることは目指されていなかった。ウラジーミル・レーニン率いる政党ボルシェヴィキはロシア革命後に、労働せずに財産運用だけで所得を得る貴族や地主、ブルジョワジーからその財産を召し上げ、抵抗する場合は銃殺に処すかシベリア送りにした。

ボルシェヴィキの党員たちは、『罪と罰』のラスコーリニコフよろしく民衆を苦しめる強欲な金利生活者は根絶やしにした方がいいと思っていた。あるいはまた、漫画『デスノート』の夜神月《やがみライト》のように新世界の建設を邪魔立てする輩は抹殺しても構わないと考えていた。『デスノート』をロシア革命の寓意として解釈することもできるだろう。

ソ連では、怠け者の楽園が目指されていたわけではなく、労働しない者はむしろ厳しく罰せられた。「働かざる者食うべからず」は、『新約聖書』を基にレーニンが言い始めた言葉で、勤労の義務は1936年にソ連で制定されたスターリン憲法にも記されている。

後にノーベル文学賞を受賞するヨシフ・ブロツキーという詩人は、「職に就いておらず寄生虫生活をしている」[72]と当局に見なされて逮捕され、1964年に2年間の懲役と3年間の流刑の判決が言い渡されている。

ソ連を樹立したボルシェヴィキたちは、勤勉に働く労働者のみから成る国家を目指した。そのためには、努力と能力（つまり労働の成果）に応じて報酬が得られるようにしなければならない。レーニンは『国家と革命』で、労働者は「社会にもたらすのと同じだけのものを社会から給付され」[73]るべきだと言っている。

その一方でレーニンは、生産力が飛躍的に高まったユートピア的な未来の段階では、「各人はその欲望に応じて」[74]ピアノでも自動車でも好きなだけ自由に手にすることができると述べている。

しかし、それは遠い未来に訪れる段階であって、そこに至るまでの長い期間にわたって、国家の厳格な統制の下、労働の質と量に応じて給料が支払われる方式を取り入れる他ないという。

所得を平等にしても労働者が自主的に働くような社会がいつか訪れるが、それは遠い未来の話であって、社会に対する貢献に応じて労働者が報酬を得られるような体制を長い間維持しなければならないだろうとレーニンは考えた。

中枢によってコントロールされた経済システム

ソ連型社会主義の失敗の主な要因は、所得の均等化や労働者の怠惰ではなく、資本（生産手段）を国有化した体制が「計画経済」を採用せざるを得ないという点にある。

この経済体制では民間企業はそれほど存在せず、ほとんどが国営企業（あるいは公営企業）となるので、政府が生産量や価格を決定する必要がある。そのような決定を行う政府機関を一般に中央計画当局という。

ソ連ではゴスプラン（国家計画委員会）を中心に、ゴスバンク（国立銀行）や国家価格委員会などの政府機関が国全体の経済をコントロールしていた。

こうした中央計画当局が末端の企業に生産量や価格を指示するので、ソ連型の計画経済のやり方は指令伝達方式と呼ばれている。

中央計画当局によって価格や生産量が決定されるこのような計画経済は、複数の民間企業が競争し合って、市場の自律的な調整メカニズムによって価格や生産量が決定される市場経済とは対極にある。

市場経済では、需要と供給に関する情報は各店舗や各企業が持っている。需要が供給に対し多ければ価格を上げて、少なければ価格を下げるという最適価格を模索する作業をそれらの各経済主体が行う。結果として、チューインガムは100円前後といった具合に市場全体での相場が決定される。

情報の保有とそれに基づく情報の処理が同じ経済主体によって担われ、各主体における決定が他の主体の決定に影響を及ぼす。無数の主体の決定どうしが相互に影響を及ぼし合うリゾーム的な関係を持っており、そのような相互作用の結果、全体として相場が形成される。

全体として見ると市場経済は、あらゆる財の需給均衡価格を計算する巨大なコンピュータのようなシステムだ。市場経済には、価格付けのための計算を一手に担っている中枢的な経済主体が存在するわけではない。市場経済全体が、あらゆる財の適正価格を導出する計算システムなのである。フランスの歴史学者フェルナン・ブローデルは、市場経済を「人類が初めて手にしたコンピュータ」[75]とたとえた。

市場経済は、中枢なくして一つの目的を遂げるシステムなのでリゾームシステムの一種だ。あるいはまた、各経済主体が別々に意思決定をしているので「分権的な経済」であり、群知能である。

それに対し計画経済は、中枢によってコントロールされているツリーシステムの一種で、中央計画当局に価格や生産量に関する決定権が集中している集権的な経済だ。

計画経済が成功するかどうかは、一つには分権的なシステムである市場経済を集中的な権力を持った中央計画当局が人為的に再現できるか否かにかかっている。

社会主義経済計算論争

計画経済が市場経済のように円滑に機能するのかどうかといった問いをめぐる一連の議論を、社会主義経済計算論争という。この論争には、ミーゼス、ランゲ、ハイエクといった経済学者が関わっている。

まず、オーストリアの経済学者ルートヴィヒ・ミーゼスが、自由競争的な市場経済でなければ価格の決定は不可能だと言って、計画経済の不可能性を示した。

それに対し、ポーランドの経済学者オスカー・ランゲは、計画経済でも価格は決定できるし、中央計画当局は模索過程を経ることで需給均衡をもたらす価格を決定できると主張した。

模索過程というのは、まず中央計画当局がとりあえずの価格を提示し、その価格の下で需要が供給を上回るのであれば当局が価格を引き上げ、逆に下回るのであれば価格を引き下げるというものだ。

そのような模索過程の末に需給均衡価格が得られるというわけだ。市場経済とは違って、個々の企業や店舗ではなく、中央計画当局が試行錯誤しながら適切な価格を見出すのである。

ハイエクは、価格を決定するために必要な需要と供給に関する無数の情報を一ヵ所に集めることは現実的に不可能だと言った。このような情報の局在性ゆえに計画経済では妥当な価格の決定はできない、と論じている。

身近な例を挙げておこう。大学近くのコンビニエンスストアは、大学入試の実施日には利用者が激増するので、普段よりも多くのおにぎりや弁当、使い捨てカイロなどを供給する必要があ

フリードリヒ・ハイエク
Friedrich August von Hayek
(1899-1992)
20世紀に活躍したオーストリア生まれの経済学者。著書に『隷従への道』があり、リバタリアンの始祖の一人。1974年にノーベル賞を受賞した(©Jacques Haillot／Camera Press／アフロ)

る。ただし、昼時におにぎりを用意してもほとんど売れないかもしれない。なぜなら、一度キャンパス内に入ったら入試が終わる夕方まで受験生は外に出てはいけないとルール付けている大学もあるからだ。私が非常勤講師を務めている早稲田大学にはそのようなルールがある。

その場合、受験生は朝、入試が始まる前におにぎりを買っていくことになるので、店舗側は朝方に大量のおにぎりを用意する必要がある。

店舗で働いている人ならば知り得るそうしたこまごまとした情報が、本社の会議室で議題として取り上げられることはまずないだろう。ましてや、中央政府が一国のすべての店舗で必要なそのような決定を逐一とり行うことなど現実的には不可能だ。

ネットを利用すれば、局在的な情報を一箇所に収集することができるので、計画経済が可能だという人もいる。しかし、数値化できない現場の情報をいちいちドキュメント化して送信するのも、それを受信して解読するのも手間が掛かる。

決定する主体と作業する主体が離れている場合には、情報伝達のフリクション（摩擦）や遅延が避けようもなく発生してしまう。実際に作業する人かその近くにいる人が決定を下す方が、迅速に事が運ぶ。

そうであれば、現場にいる個々の経済主体が意思決定を行う分権的なシステムの方が、より効率的と言えるだろう。実際、資本主義経済における企業は、近年特に分社化によって意思決定を分権化する傾向にある。計画経済ではその真逆で、意思決定が一極に集権化されているので、効率が悪いことこの上ない。

これに関して、ハイエクは、

組織化された価格の体系と、市場によって決定される価格の体系との違いは、各隊、各兵が、特別の指揮と正確な本部の遠隔指令によるのでなければ動き得ないような戦闘部隊と、各隊と各兵が彼らに与えられたすべての機会を利用して動く軍隊との違いと同じようなものであるように見える

——ハイエク『個人主義と経済秩序』[76]

と述べている。

計画経済は遠隔指令でのみ動く軍隊に、市場経済は前線の兵が現場の判断で自己決定できる軍隊に対応している。遠隔指令のやり取りをしている間に前者の軍隊が後者の軍隊に撃破されてしまうことは、想像に難くない。

分権的な経済システムたる市場経済を計画経済によって再現することの不可能性

は、ハイエクによって理屈の上で示されただけでなく、ソ連の崩壊によって実地に確かめられもした。結局のところ、それは人の手に余る難事だった。

レーニンとともにロシア革命を主導したレフ・トロツキーは、革命の反対勢力に対し「おまえたちは歴史のゴミ箱行きだ」などと宣告したが、その70年ほど後には彼らが建設した社会主義国家がまるごと歴史のゴミ箱行きとなった。人の見える手は神の見えざる手の代わりになり得なかったために、社会主義体制の崩壊は免れられなかったのである。

人工知能と社会主義

20世紀のAI研究とソ連型社会主義は、設計主義という同根の要因によって失敗している。リゾームシステムである人間の脳や市場経済を還元的に（つまりツリー状に）理解し設計主義的に再現できるという人間の驕り、思い違いがそれらの根っこにある。

それを象徴する出来事がある。マイケル・ポランニーが暗黙知の理論を思い立ったのは、1935年にモスクワでニコライ・ブハーリンと会話を交わしたことがきっかけだった。ブハーリンは、レーニン亡き後の有力な指導者の一人だ。

「純粋な科学的探求は必要ない」という意見をブハーリンから聞いたポランニーは、ソ連の指導者が人間社会のすべてはメカニカルに把握でき、コントロールできるといった僭越的な意識を抱いていると感じ取ったようだ。

そのことが元で、ポランニーは哲学的思考を深めていき、暗黙知の理論を提示するに至る。言葉や論理によっては明確に表し難い身体知や経験知があると主張したのである。ポランニーが、暗黙知の例として挙げたのは人の顔の識別だった。すなわち、それは20世紀のＡＩには困難だった画像認識である。なお、ブハーリンはこの3年後、スターリンの指示で銃殺された。さらにその48年後にチェルノブイリ原発事故が発生し、技術のすべてを人間がコントロールできるといった僭越的な意識が打ち砕かれた。

以上の議論を踏まえて言うならば、純粋機械化経済の上にソ連型社会主義のような体制を築いても、望ましい結果はもたらされないだろう。

神のような知性を持ち、あらゆる工場・店舗の現場の情報を知悉している超ＡＩが中央計画当局に鎮座しており、供給量や価格を完全にコントロールしてくれるというのであれば、一切はその超ＡＩ様にお任せすれば滞りなく万事がとり運ばれることになる。

ハイエクも、

「偏在し、全能である」ばかりでなく、全知でもあり、したがってすべての価格を、必要とされるちょうどその分だけ、時期を失することなく変更することができるような集団主義的経済の指令機関を考えること自体は、論理的には不可能ではない

——ハイエク『個人主義と経済秩序』[77]

と述べている。

神のごとき知性の超AIならば、そのような指令機関（計画当局）の仕事を完璧に務めることができるはずだ。その場合、神の見えざる手に代わって神的AIの見える手が、経済システムを良いあんばいにコントロールしてくれることだろう。ところが、第2章で論じたように、今世紀中に全脳エミュレーションは不可能なので、人間そっくりに振る舞えるAIは出現しない。それゆえ、不測の事態に備えて店舗や工場を責任持って管理する人間の労働者が必要とされ続ける。

そうしたマネジメントばかりでなく、ホスピタリティやクリエイティヴィティに関わる仕事における人間の活躍も当面は続くことになる。彼らは企業を経営したり、イ

ノベーションを起こしたり、新商品を企画したり、映画を作ったり、保育や介護に携わったりするだろう。

企業や組織をすべて国営化し、中央計画当局がすべてをコントロールする集権的な経済に移行したら、分権的な経済の強みは失われてしまう。

適切な価格付けがなされないだけでなく、局所的な情報に基づく商品・サービスの改善やイノベーションが起きにくくなり、ソ連と同じ失敗が繰り返されることになる。純粋機械化経済への移行に際し、「歴史のゴミ箱」からソ連型社会主義を拾い上げてリサイクルしても、望ましい結果はもたらされないだろう。

5　グーグルが通貨を発行してばらまく日

アナーキズムでもなくソ連型社会主義でもなく

これまで、中枢を否定し軽視し縮小化するイデオロギーであるアナーキズムとそれとは逆に中枢がすべてをコントロールする体制であるソ連型社会主義の両方を批判的に検討してきた。

私たちはイデオロギーについて深く知らなければならないが、それとともにイデオロギーにとらわれてはいけない。なすべきなのは、人々の幸福を実現するには、どのような政治、経済の仕組みが必要であるかを検討することだ。あるいは、より自由で平等な社会を築くにはどうしたらいいのかを検討することだ。

それらも結局のところイデオロギーの一種であるには違いないが、全員ではないにせよ多くの人々にとって、アナーキズムやソ連型社会主義は、自由や平等、幸福の実現手段ではなかったのではなかろうか。

であれば、それらを実現するには中枢の役割として何を残し、何を捨て去るのかを検討しなければならない。アナーキズムやソ連型社会主義そのものに固執する必要は全くない。

アナーキズムにおいては自由を重視するあまり平等が損なわれる。リバタリアニズムから派生したネオリベやカリフォルニアン・イデオロギーでは自由な経済活動は称揚されたが、両者が支配的な現在のアメリカ社会では、人々の所得格差は拡大を続けている。

一方のソ連型社会主義では、平等を重視するあまり自由が損なわれた。所得の均等化こそはされなかったものの、資本家による搾取をなくし労働の成果に応じて報酬が得られるという意味での平等な社会が目指された。

ところが、労働者を搾取する主体として資本家に成り代わった国家の指導者や官僚が肥え太るだけであり、平等すらも実現できなかった。そして、それ以上に自由が失われた。

68年革命はそもそもアメリカに代表されるような資本主義体制でもなく、ソ連のような独裁的な社会主義体制でもない第三の道を探るアナーキーな運動だった。その精神を半ば継承し今日支配的となったカリフォルニアン・イデオロギー（サイバー・リバタリアニズム）は、一周回ってアメリカ的な資本主義の精神に回帰してしまった。しかも、より強化されている。

サイバー・リバタリアンは、政治的な権威主義には反発するので保守主義ではないが、経済の面ではアメリカ的資本主義のより強力なヴァージョンだ。そのアメリカで格差が拡大し貧困が増大した。すなわち自由は伸長したが、平等は縮小したのである。

経済の面でのこの価値観はもはやアメリカだけでなく、中国にも蔓延し、インドにも浸透しつつある。サイバー・リバタリアニズムは、全世界を覆いつつあるのだ。ただし、中国は経済的にはサイバー・リバタリアニズムだが、政治的にはデジタル・レーニン主義である。言い換えると、経済は分権的だが政治は集権的だ。

私は基本的には、政治的にも経済的にも分権的であることが望ましいと考えている。だが、アナーキズムのように中枢を捨て去ってしまえば、耐え難いほどに格差は広がっていく。

アナーキーな社会主義（リバタリアン社会主義）は、これまで体制として成立したことがないし、原理的にも成立し得ない。再分配を強制的に行い得る機構は国家しかあり得ず、国家を否定するアナーキズムでは平等は達成されないからだ。

アナーキストが提唱するような自生的なコミュニティで経済的平等を図ろうとしたならば、お金持ちはそのコミュニティから出て行き、貧乏人しか残らなくなる。

コミュニティから出ていく自由がある限り、平等は達成されない。国家は強制力がある点において自生的なコミュニティとは異なる。お金持ちが自国から出ていかないような工夫やグローバルな課税が今後ますます必要となってくることは、言うまでもないだろう。

いかにアナーキストが自由と平等の両方を理念として掲げても、それは絵に描いた餅にすぎない。アナーキズムは自由と分かち難く結びついているが、平等とは折り合いが悪く、実際には格差を拡大させる一方だ。それを極端な形で示したのが、サイバー・リバタリアニズムなのである。

今のところ、平等化を図るための十全な再分配は中枢たる国家にしか成し得ない。したがって、分権的な体制の中に、望ましいあんばいに中枢を差し入れなければならない。それによって、平等化を図るとともに、自由を極力損ねないようにする必要がある。

なお、ここでいう平等というのは、所得を等しくすることではなく、貧困を減らし格差を縮小することだ。誰もが平等に「健康で文化的な最低限度の生活」を送れるようにすることだ。

背反しがちな自由と平等をある程度両立した再分配制度として、ベーシックインカム（BI）がある。だからこそ、BIは右翼、左翼、ネオリベ派、反ネオリベ派のいずれからも支持されるし、批判もされる。

BIがAI時代に不可欠な制度であることは、第7章で論じた通りだ。経済学的にいうと、中枢としての国家がなすべきことは、再分配の他にはほぼ合成の誤謬の解消だけである。

市場の失敗

リバタリアニズムの変種であるネオリベの広がりとともに、1970年代から行政機構や国有企業の民営化が盛んに行われた。その中には、フリードマンのような経済学者の提唱によるものもある。

そうではあるが、経済学の研究が進むにつれて、すべてを市場任せにするのはむしろ非効率だということが明らかになってきた。今ではほとんどのミクロ経済学の教科書で、「市場の失敗」という章が設けられている。

市場の失敗への対処こそが国家の主な役割だということは、一般社会ではそれほど知られていないが、経済学者の間ではおよそ共有されている。

主流派の経済学者というと、いまだに市場原理主義者とか小さな政府主義者と見なされることがある。実際には、市場の失敗を看過する経済学者はむしろ少数派になっている。

第5章で説明したように、市場の失敗は合成の誤謬（協調の失敗）の一種だ。中枢はまさに合成の誤謬を解決するためにある。

合成の誤謬の中でも市場の失敗で説明できる範囲は幅広く、政府が警察や防衛を担わなければいけない理由だけでなく、医者や弁護士になるための国家試験がなぜ必要とされるかといったことまで、その範囲にくくられる。

アナーキストが市場の失敗について真面目に勉強したら廃業しなければならないかもしれない。大学のミクロ経済学の授業に真面目に出席して優秀な成績を収めたアナーキストは、果たして存在するのだろうか。

AI時代に特に重要となってくるのは、技術が公共財であるがために、政府が研究開発の支援を強化しなければならないということだ。

技術の他にも、警察や防衛、道路、街灯などが公共財として位置づけられる。公共財というのは経済学の用語で、非競合性と非排除性という二つの特徴を持った財のことだ。

競合性とは、複数人がいくらでも同時に利用することはできないという性質である。例えば、料理に使う計量スプーンやまな板のような通常の財は、1人の人が使うと他の人は利用できないので競合的だ。それに対し、料理のレシピは複数人がいくらでも同時に利用できるので、非競合的である。

排除性は、対価を支払わずに財を利用することを排除できるという性質だ。計量スプーンやまな板は、どこかのお店で購入しなければ利用できないので排除的である。

それに対し、ある人の考案したレシピを他の人がただで真似ることはできるので、レシピは非排除的と言える。

このように、レシピは非競合的で非排除的なので、公共財に分類できる。公共財というと政府が提供するものという印象を抱くかもしれないが、政府が提供するかどうかにかかわらず、非競合的で非排除的な財はすべて公共財と呼ばれる。ただし、公共財は市場では十分供給されないので、政府が提供すべき財だということはできる。

競合性と排除性の違いが分かりにくいかもしれないので、競合的ではないが排除的であるような例を挙げよう。WOWOWなどの有料放送は、複数人がいくらでも同時に見られるので非競合的だが、視聴料を支払わないと見られないので排除的だ。こういう財は、公共財の性質を一つしか満たしていないので、準公共財などと呼ばれている。

道路のような公共財は、市場に任せていてもほとんど供給されない。というのは、私たちは道路をフリーライド（ただ乗り）して利用できるからだ。フリーライドというのは、他人の成果をただで利用することである。

ただし、経済学用語としてのこの言葉には、ただで利用してけしからんといったネガティブな意味合いは必ずしも込められていない。あらゆる人々が、ただで道路や街灯の恩恵を受けているからだ。

空気と同じでただで消費できるものに人々はお金を払わない。その一方で、道路や街灯は空気とは違って誰かが生産しなければ存在し得ない。誰もお金を払わないのであれば、儲けるために生産する者は待てど暮らせど現れないので市場任せにはできない。これが、公共財がもたらす市場の失敗だ。この失敗を解消するには、政府が道路や街灯を供給するしかない。

技術を高めるために政府がなすべきこと

ＡＩのような生産活動に役立つ技術もまた、レシピや街灯などと同様に非競合的で非排除的なので公共財だ。それゆえ、新しい技術を生み出す企業や大学の研究開発は、自動車やチューインガムのような通常の財を生み出す生産活動と同列には扱えない。

技術は非競合的で非排除的であるがために、それを創出する企業（や大学などの研究組織）からスピルオーバ（拡散）し、他の企業にとってもただで利用可能となる。他の企業はフリーライダーになり得るのである。

ところが、各企業は私的収益（自分の儲け）に見合う程度にしか研究開発を行わず、スピルオーバがもたらす社会的収益（社会全体の利益・便益）までは勘定に入れない。

したがって、研究開発の規模は社会全体にとって望ましい水準よりも過小となる。それゆえに、政府が支援し研究開発の規模を望ましい水準にまで引き上げる必要がある。

例えば、iPS細胞の技術はスピルオーバし社会全体にとって大きな便益をもたらすと考えられるが、政府の支援がなければiPS細胞の研究規模は望ましい水準よりも小さくなる。それは、民間に任せていては街灯が十分に設置されないので、政府が設置する必要があるのと同様だ。

なお、技術については、特許で排除性を高めてフリーライドを防ぐことができる。特許で守られている技術を他社が利用するには、特許料を支払わなくてはならない。しかし、特許はその技術を参考にして新しい技術を生み出すことまでは排除しない。iPS細胞を利用して新しい治療法を生み出すような研究開発を行う際に、特許料を払う必要はない。特許で守られる場合ですら、そうした発明・発見の連鎖がもたらす社会的収益については考慮に入れずに研究開発はなされている。

以上のように理論的には、私的収益と社会的収益にギャップがある限り、研究開発に対しても防衛や道路と同様に政府支出の対象にすべきだと言える。

しかしながら、日本が自ら研究を促進しなくても、アメリカなどの外国が研究開発を通じて生み出した技術を手早く応用したり導入したりすればいいのではないかという理屈も考えられる。日本がまるごとフリーライダーになってしまえばいいではないかという提案だ。

このような提案は、知識伝播の局所性を勘定に入れないでなされている。なぜ、シリコンバレーのような特定の地域で多くの先進的なIT企業が勃興しているのだろうか。アメリカの経済学者エンリコ・モレッティの『年収は「住むところ」で決まる』（プレジデント社）によれば、イノベーションには集積効果があるからだ。

すなわち、人は創造性の高い人と交流することで創造性を高めることができる。研究者やIT起業家などは、ご近所に集まって住んだり盛んに交流したりすることで、質的にも量的にも優れた成果を生み出せるというわけだ。

優れた技術をいち早く我が物にしようと思ったら、その技術を生み出した人と一緒にワインを飲んだり、バーベキューを催したりする必要がある。巨人の肩に乗りたいと思ったら、巨人の家の隣に引っ越すのが手っ取り早いわけだ。

本書の第5章から第7章にかけて、知識創造性と知識利用性を高めることで国は繁栄すると繰り返し述べてきた。これらを高めるために、為政者によって図書館や大学が建てられたり、特許制度が整備されたりした。

今、知識創造性と知識利用性を高めるためになすべきことは、研究開発や教育に惜しみなく支出することだ。それは中枢としての政府の役割であり、民間任せにしていては十分ではない。

さしあたり、国立大学への基本的な補助金である運営費交付金を、少なくとも10年前の水準に戻すべきだ。2015年の教育に対する日本の公的支出のGDP比は2・9%で、OECD34カ国中で最低レベルにある。年金支出のGDP比の約10%に比べてもかなり低い。教育に対する支出を増大させる必要がある。

それから、頭脳獲得競争にも乗り出さなければならない。明治政府は、お雇い外国人やお抱え外国人と呼ばれる先進的な技能を持った外国人を招聘し、高額の報酬で雇い入れた。科学技術の面で取り残されつつある日本は、今それと同じことを行うべきだ。

例えば、世界的なAI研究者を1人につき20億円くらいの報酬で5人ほど招聘して、本郷にでも住まわせるべきだろう。週に一度、東京大学で講義をする他は、好きに研究してもらうのである。そうすると、他の教員や学生は、巨人の肩に乗ることができるので、研究の水準が目覚ましく上がるはずだ。

東京大学（もちろん他の大学でも構わない）が、ＡＩ研究の世界的な牙城になったら、それを目当てに世界中から優秀な学生が集まってくるだろう。そうした学生たちが日本で起業しやすい環境を整えれば、ＡＩベンチャーが日本で盛んになる可能性もある。

財政難の日本にそれだけの支出をする余裕などないのではないかと考える向きもあろう。だが、そうした出し惜しみこそが、日本の失われた10年を20年と引き伸ばしてきたし、これから30年にまで引き伸ばすのである。

デフレ不況もまた合成の誤謬の一種だ。民間部門が投資や消費などの支出を減らしているから、デフレ不況が起きたのである。それを解消するには、民間部門の代わりに政府が大々的に支出するか、市中に出回るお金の量（マネーサプライ）を増やすことによって民間部門の財布を潤して支出を促す必要がある。

第7章で述べたように、現在民間銀行が政府から買い入れた国債はさらに中央銀行によって買い入れられている。このままのペースで買いオペを続けると、いずれすべての国債を中央銀行が保有することになる。

そうすると民間部門に対する政府の借金は消滅し、政府は中央銀行に対してのみ借金していることになる。政府と中央銀行はいずれも国の機関であるから、これはちょうど右手が左手に借金しているようなものであり、政府と中央銀行をセットにして国として考えれば、国の借金は存在しないことになる。

要するに、今日本は財政難に置かれているわけではない。無駄遣いをしていいわけではないが、研究開発や教育といった重要な部門に対しては、惜しみなく支出すべきだ。

プラットフォームとしての貨幣

前述した通り再分配もまた今のところ、中枢たる国家にしか果たすことのできない役割だ。科学技術がどんなに進歩しようが、貧しい人がその恩恵を受けられないのであれば、そんな進歩は大して社会に貢献しない。

強者の暮らしをより便利にしたところで、もともと高いその生活満足度が上がる余地は極めて小さい。健康で文化的なリア充（リアルな生活の充実した者）の生活が、インターネットやＡＩによって便利になったところで、彼らの幸福度が爆上がりするわけではないのである。

それゆえ、弱者の救済に勝る社会貢献はない。何よりも大事なことは、貧しい人の暮らしを底上げすることやハンディキャップがある人が科学技術の恩恵を受けて健常者と変わらないような生活を送れるようにすることだ。

障害者や若くして重い病気を患った人などはたいていの場合、所得水準が高くないので、再分配なしに科学技術の恩恵を受けられない。

一部のハッカーや起業家は、AIによる格差拡大を案じている。ビル・ゲイツや電気自動車テスラのCEOイーロン・マスク、フェイスブックのCEOマーク・ザッカーバーグ、アマゾンのCEOジェフ・ベゾスなどがBIの導入を支持している。大々的な再分配政策なしに、彼らの商売が世直しにつながらないことは、彼ら自身がある程度は分かっているのである。彼らが心置きなく商売に専念できるようにするためにも、BIの導入は欠かせない。

サイバー・リバタリアニズムは、修正を迫られている。ITが発達するだけでユートピアが到来するといった素朴な夢物語は信じられなくなってきており、再分配を実施する国家の役割を軽視できなくなっているというわけだ。

ただし、民間経済主体がBIを実施する可能性も残されていないわけではない。実際、カリフォルニア州オークランドでBIの実験を行っているのは、シリコンバレーのベンチャーキャピタル、Yコンビネーターだ。ただし、これはあくまでも実験であって、民間経済主体による本格的なBIの導入計画は今のところ存在しない。

第7章で私は、税金を財源とした固定BIとヘリコプターマネーをベースとした変動BIの両方が必要だと述べた。前者は再分配だが、後者は正確には再分配ではない。再分配は国家以外に担うのは難しいが、後者は今後巨大IT企業によって担われる可能性もある。

貨幣は、公共財としての性質を満たしていないが、プラットフォームであるために、政府によって供給されるものと考えられる。

プラットフォームは、ITの分野ではウィンドウズのようなオペレーティングシステム（OS）やアマゾンのようなECサイト、グーグルのような検索エンジンを指している。この場合のプラットフォームは、たくさんの商品やサービス、情報を集めたり供給したりする土台のことだ。

プラットフォームは、利用者が多ければ多いほど価値を増していく。経済学ではこのような性質をネットワーク外部性という。ここから転用させて、ネットワーク外部性を持った土台をすべてプラットフォームと呼ぶのであれば、貨幣もプラットフォームと見なし得る。

日本にいながら、ある人は円を使い、他のある人はドルを、また別の人はユーロを現金で使っていたら、不便で仕方ないだろう。円で払ったのにドルでお釣りがきたり、ユーロでお釣りがきたりするのだ。

3種類くらいだったらまだ対処可能だが、日本国内で100種類のお金をみながそれぞれ勝手に使っていたら、まともに市場は機能しない。

したがって、貨幣はネットワーク外部性を満たしており、プラットフォームに位置づけることができる。貨幣はこれまで国の中で統一した方が利便性が高かった。それゆえに、ほとんど中央銀行のような国の機関が発行する法定通貨のみが貨幣として流通していた。

ところが、現金ではなく電子マネーや仮想通貨で決済できるようになると、必ずしも貨幣は1種類である必要はなくなる。実際に、ビットコインなどの私的に発行された代替通貨がいくつも出現している。

一般に仮想通貨と呼ばれるものは、技術的には暗号通貨であり、法定通貨ではないという意味では代替通貨だ。原理的には、法定通貨が暗号通貨になることはあり得る。

ビットコインの発案者であるサトシ・ナカモトは、典型的なリバタリアンで、貨幣の発行を国の機関に任せるべきではないという思想の持ち主だった。各国で行われていた金融緩和がインフレを引き起こすであろうことを危惧して、インフレを起こさないような貨幣としてビットコインを設計した。
ビットコインは、マイニング作業をした者のみが貨幣発行益を得る。それに対し、今後はグーグルやアマゾンのような巨大IT企業が仮想通貨を発行して人々にばらまく、ということも考えられる。

第4章で、IT産業が自然独占になることを説明した。加えて、ネットワーク外部性があると、その分野はより自然独占になりやすくなり巨大化する。電話はネットワーク外部性を持つ分野の典型であり、確かに利用者が多ければ多いほど利便性が増す。アメリカでは、電話の発明者グラハム・ベルが創設したベル電話会社（現AT&T）が、電話の独占会社となり、何度も独占禁止法違反で分割を余儀なくされている。

ネットワーク外部性が生じる分野では、企業は巨大になりすぎる。したがって、政府によって分割されるか、日本電信電話公社（現NTT）のようにもともと公的機関によって経営される。貨幣も、電話通信網のように公的機関によってもっぱら供給されてきた。

OSもネットワーク外部性が生じるので、マイクロソフトもたびたび独占禁止法違反で訴えられている。そうではあるが、グーグルもマイクロソフトも今のところは分割をまぬがれている。

グーグルのような検索エンジンやウィンドウズのようなＯＳといったプラットフォームも、中枢の一種だ。ただし、国家や公的機関のように権力者が有無を言わさずに人為的に作ったプラットフォームとは違って、自生的秩序の中で自然発生的に巨大化したものだ。こういう中枢を自然中枢と呼ぶことにしよう。ビットコインなどの貨幣も自然中枢と言えるだろう。

グーグルやマイクロソフトは、規模的にも国家に匹敵する。グーグルの２０１７年の年間売り上げは１１０８億ドルであり、世界で62位のウクライナのＧＤＰに相当する。国家予算でいうと、世界30位のアラブ首長国連邦に相当する。世界には１９６の国[78]があり、アラブ首長国連邦より下の１６６カ国の国家予算より売り上げが多いのである。

これだけ企業が巨大化すると、世界経済への影響も大きくなる。世界中の景気が悪くて、自らの売り上げが下がった時に、景気を良くするために仮想通貨を発行して、変動ＢＩとして世界中の人々にばらまくということも考えられる。それがまた自分たちの利益となって跳ね返ってくるのだ。

ちょうど、フォードが賃金を引き上げることによって、工場で働く労働者が自分たちの作ったフォード車を買えるようになり、フォードの売り上げが伸びたのと同じことが起きる可能性がある。

企業相手ではなく消費者相手にビジネスを展開しているアマゾンは、グーグルよりも仮想通貨発行のインセンティブが働くだろう。アマゾンが発行した仮想通貨がアマゾンおよびアマゾンと提携した会社の商品・サービスしか購入できないのであれば、このような貨幣発行は直接的にアマゾンの売り上げの上昇をもたらすことになる。

仮に、ハッカーたちが自己犠牲の精神を発揮しないのであったとしても、彼らは自分たちの利益のために、変動ＢＩを実施する可能性がある。

国家が中枢としての役割を十分果たすことが重要だが、プラットフォーム企業のような自然中枢にも、ある程度はその役割を期待できるだろう。

ただ、プラットフォーム企業は、一国の景気動向や人々の暮らしに対し責任を持たない。既に見たように、どんなに高邁な理念を掲げていたとしても、利益につながらないことは基本的には実施しない。

彼らが社会に貢献するのは、ビジネスとして利益を上げられる範囲に限られている。それは営利企業としては当たり前のことだ。したがって、国家は不況という合成の誤謬に陥らないように、責任を持って貨幣量をコントロールする必要がある。

人類史の三つのリンゴ

人類の歴史には、三つのリンゴに象徴される劇的な変革があった。

一つ目はアダムのリンゴで、これは紀元前9000年頃に始まった農耕革命を象徴している。この革命によって、狩猟採集社会から農耕社会への転換がなされた。アダムとイブが「知恵の木の実＝リンゴ」を食べてエデンの園を追放されたという神話は、農耕の起源を表しているという有力な説がある。確かに、楽園にいた二人は豊富に実る果実を採集して食べていたが、追放された後アダムは死ぬまで苦労して土を耕して食物を得なければならなくなったと『旧約聖書』に記されている。

このアダムのリンゴはとんでもない毒リンゴだった。第5章で見たように、農耕は、戦争や飢餓、疫病、長時間労働、椎間板ヘルニアなどの様々な苦痛をもたらしたからだ。

狩猟採集社会は比較的平等で自由だったが、農耕社会では人々は階級化され不平等となり、自由も失った。農耕技術は、人々を均等にエンパワーせずに、支配者階級と被支配者階級を生み出したのである。

狩猟採集社会では地域当たりの経済規模が増大することはない。農耕社会への移行によって経済成長が可能となったが、長期的には人口も増加したので1人当たり所得は増大しなかった。

農耕社会へと移行した地域と狩猟採集社会を維持した地域との間で発生した最初の大分岐が、新石器時代の大分岐である。

二つ目のニュートンのリンゴは、ニュートンがリンゴの木からその実が落ちるのを見て万有引力を思いついたという逸話から、17世紀の科学革命とそれに続く工業革命（第一次・第二次産業革命）の象徴と見なすことができる。工業革命は、農耕社会から工業社会への転換を引き起こした。

1800年頃に起きた第一次産業革命の後、労働者の暮らしぶりは悪化していく一方であるようにも考えられた。そう予測して、労働者による革命が必要だと主張したのは、マルクスだ。

資本主義（産業資本主義）が始まった当初、資本家ばかりがエンパワーされ、労働者はその支配の下に搾取され続け貧しくなるしかないように思われた。

ところが、イギリスをはじめとする欧米諸国では徐々に労働者の生活水準は向上していった。マルクスは、労働者の賃金は生活を送るのにギリギリの水準に絶えず抑え込まれると論じたが、実際にその通りにはならなかったのである。

欧米諸国は、工業革命によってマルサスの罠から脱却して1人当たり所得が年々増大するような経済への転換を果たした。このような国々と農耕社会を維持したアジア・アフリカ諸国との経済成長に関する開きが、工業化時代の大分岐である。大分岐の上昇路線に乗った国々は世界を支配し、停滞路線をたどったアジア・アフリカ諸国を植民地化し収奪した。さらに、そうした支配的な国々の間での覇権争いが、二つの世界大戦を引き起こしている。

そのさなかに、科学革命と工業革命による最大の負の成果とも言える核兵器が生み出された。人類は絶滅の危機にさらされたが、今のところ全面的な核戦争の勃発はまぬがれている。

ニュートンのリンゴも毒入りだったが、人類はその毒を吐き出し、くたばることなく生き抜いて、その栄養を吸収し豊かさを手に入れた。

三つ目のジョブズのリンゴは、情報革命（第三次・第四次産業革命）の象徴だ。このリンゴは、言うまでもなくジョブズらが設立したアップルを指している。情報革命による工業社会から情報社会への転換が、今まさに進行中だ。

ジョブズのリンゴは、成長率自体が年々上昇するような爆発的な経済成長をもたらす可能性がある。そうすると、情報革命の進んだ国々とそうでない国々との間で、AI時代の大分岐を引き起こすことになる。恐らく、この大分岐において最初に上昇路線に乗る主要国は中国で、その次がアメリカだろう。

経済が成長するには需要が増大しなければならず、そのためには貨幣量の増大とＢＩのような大規模な再分配の両方が必要となる。

国家がしかるべき役割を果たさなければ、ジョブズのリンゴも毒リンゴになるだろう。資本家とスーパースター労働者はＩＴによって大いにエンパワーされるが、一般的な労働者はむしろ貧しくなる可能性があるからだ。

ＩＴは、雇用を奪い、格差を拡大させ、貧困を生むだろう。経済を成長させるにも、雇用なき世界で人々が暮らしていくにも、ＢＩが不可欠だ。

自然中枢たるプラットフォーム企業はそうした役割を部分的には担い得るが、最終的には国家が責任を持って行わなければならない。

ＡＩとＢＩによる脱労働社会の到来は、私たちの社会が狩猟採集社会に回帰するということを意味する。未来の社会は、サイバネティックな狩猟採集社会（サイバー狩猟社会）となるのである。労働時間が短くて自由でノマディックな社会だ。

ただ、狩猟採集社会にあった平等だけは放っておいても達成されない。平等な社会を実現するには、中枢たる国家の役割がより重要となる。

脱労働社会へ

ドゥルーズ&ガタリ（D&G）は、言わばやくざな哲学者であるから、その思想をカタギの人間が真に受けてはいけない。何しろ『ダーク・ドゥルーズ』（河出書房新社）という本があるくらいだ。

彼らは心のアナーキズムを展開し、一種の自由を志向したけれど、人々の幸福や平等といったことはほとんど眼中になかった（そもそもフランスやドイツに幸福を志向する哲学者など、ほとんどいたためしがない）。

それでも、D&Gの思想を毒気を抜いて楽しく生きるための知恵に変えることもできる。それを1980年代に実践したのが、批評家の浅田彰氏（現在、京都造形芸術大学教授）だ。

浅田氏は『逃走論』（筑摩書房）で、「スキゾフレニー」（スキゾ、分裂症）と「パラノイア」（パラノ、偏執症）を対置させて、前者を肯定した。スキゾとパラノは、1984年に第1回新語・流行語大賞新語部門で銅賞を受賞している。

人生を通じて一つの会社を勤め上げ、積み上げた貯蓄でマイホームなんかを買って、一カ所に定住して家族とともにまっとうに暮らすのが、パラノ型人間だ。

それに対し、学校からも会社からも家族からも逃げ出して、ノマド的に絶えず移動しながら、その都度興味のあることに首を突っ込んで楽しく生きるのが、スキゾ型人間だ。

スキゾはいわゆる自由人であり、バブル崩壊まではそのような生き方が可能であるかのようにも思われた。だが、1990年にバブルが崩壊してデフレ不況が始まると、自由人の代名詞であったフリーターはかわいそうな非正規社員と見なされるようになり、入れ替わりにパラノ型人間の典型である公務員があこがれの職業となった。

好景気でしかスキゾ型人間、つまり自由人は生きられないのである。もちろん、野垂れ死に覚悟で自由に生きることは引き続き可能だ。結局、アナーキズムによっては自由しか保証されない。死ぬ自由もまた保証されているのである。

「とにかく病院から水道から、何から何まで全部止めて、皆くたばっちまえばいい」[79]とのたまうアナーキストは確かに存在する。そして、それこそがアナーキズムの本質だ。中枢＝国家の役割なくして、最低限の生活も平等も実現しない。

自由に楽しく生き続けるには、最低限のインフラが必要だ。病院や水道だけではなく、ＢＩや景気を維持するための適切な貨幣のコントロールもインフラのようなものだ。

そして、ＡＩなどの技術の進歩によって人々はよりノマド的になり、労働からも半ば解放される。会社から逃げ出すというより、会社勤めの意味がなくなるのである。その際くたばらないようにするためには、BIが必要だ。経済成長のためにも、AIだけでなくBIも導入されなければならない。

D&Gは、マルクスを参照しながら、鮮やかな手つきで有史以来の様々な社会システムや資本主義的な経済システムを分析している。それでも、マルクスとは異なって政治的な革命運動に身を投じることはなかった。

ドゥールズは「『アンチ・オイディプス』はやはり六八年五月の帰結なんだ[80]」と言っているが、『アンチ・オイディプス』も『千のプラトー』も具体的な革命運動の指針を与えてくれない。

D&Gの意図を明瞭に言い表すことはできないが、彼らは少なくともフランス革命やロシア革命のような黙示録的な革命（体制を転覆させるような革命）を目指していたわけではない。

彼らの思い描いた革命に心のアナーキズムとか脳内革命といった以上の含意があるとすれば、それは資本主義を極限まで推し進めることで実現するような革命だ。その点、彼らは賢明である。というのも、資本主義のオルタナティブはなく実現し得る革命はそれしかないからだ。

ＡＩとＢＩによって、資本主義を極限まで推し進め、純粋機械化経済を実現させれば、脱労働社会を作り上げることができる。それこそが、最大限に自由と平等を両立し、あらゆる人々が幸福に生きられる社会ではないだろうか。

その時、人はＤ＆Ｇが言った意味での分裂症になるのかどうか分からない。少なくとも浅田彰氏が言ったスキゾ型人間には近くなるだろう。

私たちはなすべきことではなく、したいことをするようになる。仕事をしたいから仕事をする、勉強したいから勉強する、遊びたいから遊ぶ。１９６８年、当時の学生たちは、「～すべし」と命令する父権的な強迫観念から解き放たれたかったのではないだろうか。

68年革命は「何のリハーサルだったのか」という問いに対して、私はさしあたりハッカーたちが引き起こす情報革命のリハーサルだと答えた。さしあたりではなく最終的にはどうなのかというと、それは脱労働社会を到来させるＡＩとＢＩによる革命のリハーサルだ。

本章のまとめ

Summary 8

- 1968年革命の影響で展開されたドゥルーズ&ガタリの思想は、中枢=自我を否定する心のアナーキズムだ
- 現在世界を覆っているアナーキズムの源泉は、ドゥルーズ&ガタリの思想、リバタリアニズム、カリフォルニアン・イデオロギーの三つだ
- アナーキズムは一般に中枢=国家に否定的である
- リバタリアニズムの変種であるネオリベラリズムが世界を覆っている
- カリフォルニアン・イデオロギー（ハッカーの思想）は、1968年革命の延長上にある

●カリフォルニアン・イデオロギーは、ヒッピー的反権威主義とヤッピー的起業家精神の融合だ

●GAFAなどの巨大IT企業はカリフォルニアン・イデオロギーを背景にしている

●リバタリアニズムもカリフォルニアン・イデオロギーも自由な経済活動を称揚するが、所得の平等化を目指さない

●AI時代にあっても、ソ連型社会主義はイノベーションを阻害するので望ましくない

●巨大IT企業が景気を維持するためにお金をばらまく可能性もある

●再分配と貨幣量のコントロールは中枢たる国家しか責任を持って担えない

● AI時代にあって、再分配と貨幣量のコントロールという重要な役割を国家が果たさなければ、自由で平等で幸福な社会は到来しない

おわりに

本書を読み終えた今、みなさんは、ＡＩ時代を恐ろしいものと思っただろうか。それとも胸が躍るような時代だと思っただろうか。

いずれにしても、私たちは生きている間にとんでもない歴史的場面を目撃することになるだろう。ＡＩは、この世にあまた存在する役に立つ技術の一つでしかないというわけではない。

人類にとって解き明かされるべき謎として今もなお残されているのは、宇宙と生命、人間自身の心の根源だ。これらの謎は深い神秘の淵に沈んだままで、いまだに私たちの手の届かないところにある。宇宙の起源に迫るような科学は存在するが、そういう技術は今のところ存在しない。生命の謎を解き明かす技術としてはバイオテクノロジーがあり、人間の心の謎にはＡＩがある。

そういう意味では、バイオテクノロジーと並んでＡＩは究極の技術なのである。しかも、ＡＩはバイオテクノロジーよりもはるかに多くの分野で利用することができるので、社会や経済を劇的に変えてしまう。

　ＡＩが飛躍的に進歩する時代に私たちが生まれたことは、奇跡としか言いようがない。宇宙が誕生したことも、その中に生命が生まれたことも、人類のような知性体が生まれたことも奇跡のような確率だ。

　それと同じように、私たちが７００万年以上もある人類の歴史の中で、今この時にちょうど居合わせているのは、数万分の１の低い確率だ。まるで狙いすましたかのようでもあり、見えない意思が働いているかのようでもある。

　無神論者の私は、生きることにあらかじめ定まった意味など存在しないと基本的には思っている。それでもあえて言ってしまうが、私たちがこの時代に生を受けたのは、ＡＩが世界を変える歴史的な瞬間を見届けるためであるのかもしれない。

　読者のみなさんと私は、この歴史的な瞬間を見届けるという運命を共にするだろう。分厚くて少々値の張るこの本を手にしてくださったみなさんに感謝したい。

　個別に感謝の意を伝えたい人はたくさんいるが、ここでは本書を執筆するにあたり直接助言をくださった方々、リサーチを手伝って下さった方々に留めたい。それは、品川俊介さん、都築栄司さん、渡部貴紀さん、前田沙織さん、池田香菜子さんである。

最後に、いつ終わるとも知れなかったこの本の完成を根気よく待ち続けてくださった、担当編集者の堀口祐介さんにも感謝の気持ちを捧げたい。

2019年4月

井上智洋

55 Huxley（1954）
56 千葉（2013）
57 Hardt and Negri（2004）
58 Barbrook and Cameron（1995）
59 Isaacson（2011）
60 Isaacson（2011）
61 Isaacson（2011）
62 ギズモード・ジャパン（https://www.gizmodo.jp/）
63 東（2017）
64 Barbrook and Cameron（1995）
65 Isaacson（2011）
66 Žižek（2009）
67 アメリカの数学者スタニスワフ・ウラムとの会話。
68 福田（2004）
69 Deleuze（1986）
70 Harari（2016）
71 Harari（2016）
72 ブラギンスキー、シュヴィドコー（1991）
73 Ленин（1918）
74 Ленин（1918）
75 Braudel（1985）
76 Hayek（1948）
77 Hayek（1948）
78 日本が承認していない国は除いている。
79 絓・福田・柄谷（2002）の福田氏の発言
80 Deleuze（2003）

Notes

1 Barbrook and Cameron (1995)
2 Keynes (1936)
3 Keynes (1930)
4 Keynes (1931)
5 Malthus (1820)
6 Malthus (1820)
7 Ricardo (1821)
8 Ricardo (1821)
9 ソローは、完全雇用の前提の下で、新古典派生産関数を導入すると、ハロッドの不安定性命題が解消されることを証明した。
10 Solow (1960)
11 Howitt (1994)
12 Howitt (1994)
13 Howitt (1994)
14 Aghion and Howitt (1994)
15 経済成長率が一定以上高くなれば、再び失業率が低くなるとも言っている。
16 Keynes (1936)
17 Harari (2014)
18 農耕の開始については、単純に氷河期が終わり狩猟対象の大型哺乳類が減ったためとも言われており諸説ある。
19 Diamond (1997)
20 Pinker (2011)
21 Livi Bacci (2002)
22 Kahneman and Riepe (1998)
23 North (1981)
24 Jones (1987)
25 North (1981)
26 和訳は筆者。
27 ダイアモンドは、3万5000年前から1万4000年前の間に人類はアメリカ大陸に移住したと言っている。
28 内藤 (2004)
29 Mielants (2007)
30 White (2011)
31 Pacey (1991)
32 Crosby (1997)
33 Howard (1976)
34 Crosby (1997)
35 Parker (1988)
36 North (1981)
37 Mielants (2007)
38 Miller (1939)。 訳 はDleuze and Guattari (1972) にしたがっている。
39 陳 (1990)
40 陳 (1990)
41 陳 (1990)
42 陳 (1990)
43 1921年から27年までのネップ期には、市場経済が部分的に導入されている。
44 Acemoglu and Robinson (2012)
45 Acemoglu and Robinson (2012)
46 Acemoglu and Robinson (2012)
47 Standing (2017)
48 Michaux (1956)
49 Haraway (1991)
50 西川 (2011)
51 宮台 (2008)
52 Deleuze and Guattari (1972)
53 Deleuze and Guattari (1972)
54 Deleuze and Guattari (1972)

88) White, Matthew (2011) *The Great Big Book of Horrible Things: The Definitive Chronicle of History's 100 Worst Atrocities*, W. W. Norton & Company (住友進訳『殺戮の世界史——人類が犯した100の大罪』早川書房、2013年)
89) Wiener, Norbert (1949) "The Machine Age," M. I. T. archives, Massachusetts Institute of Technology.
90) Žižek, Slavoj (2009) *First as Tragedy, Then as Farce*, Verso. (栗原百代訳『ポストモダンの共産主義——はじめは悲劇として、二度めは笑劇として』ちくま新書、2010年)

75) North, Douglass C. (1981) *Structure and Change in Economic History*, W. W. Norton & Company.（大野一訳『経済史の構造と変化』日経BP、2013年）

76) Pacey, Arnold (1991) *Technology in World Civilization: A Thousand-Year History*, MIT Press.（東玲子訳『世界文明における技術の千年史――「生存の技術」との対話に向けて』新評論、2001年）

77) Parker, Geoffrey (1988) *The Military Revolution: Military Innovation and the Rise of the West, 1500-1800*, Cambridge University Press.（大久保桂子訳『長篠合戦の世界史――ヨーロッパ軍事革命の衝撃1500～1800年』同文舘、1995年）

78) Pinker, Steven (2011) *The Better Angels of Our Nature: Why Violence Has Declined*, Viking Books（幾島幸子・塩原通緒訳『暴力の人類史（上・下）』青土社、2015年）

79) Ponting, Clive (2005) *Gunpowder*, Chatto & Windus.（伊藤綺訳『世界を変えた火薬の歴史』原書房、2013年）

80) Ricardo, David (1821) *On the Principles of Political Economy and Taxation*, 3rd ed., John Murray.（竹内謙二訳『経済学及び課税の原理』東京大学出版会、1973年）

81) Ridley, Matt (2011) *The Rational Optimist: How Prosperity Evolves*, Harper Perennial.（大田直子・鍛原多惠子・柴田裕之訳『繁栄――明日を切り拓くための人類10万年史』早川ノンフィクション文庫、2013年）

82) Rifkin, Jeremy (2014) *The Zero Marginal Cost Society: The Internet of Things, the Collaborative Commons, and the Eclipse of Capitalism*, St. Martin's Press.（柴田裕之訳『限界費用ゼロ社会――〈モノのインターネット〉と共有型経済の台頭』NHK出版、2015年）

83) Rousseau, Jean-Jacques (1755) *Discours sur l'origine et les fondements de l'inégalité parmi les hommes*, Marc-Michel Rey.（中山元訳『人間不平等起源論』光文社古典新訳文庫、2008年）

84) Seung, Sebastian (2012) *Connectome: How the Brain's Wiring Makes Us Who We Are*, Houghton Miffl in Harcourt.（青木薫訳『コネクトーム――脳の配線はどのように「わたし」をつくり出すのか』草思社、2015年）

85) Shanahan, Murray (2015) *The Technological Singularity*, MIT Press.（ドミニク・チェン監訳、ヨーズン・チェン、パトリック・チェン訳『シンギュラリティ――人工知能から超知能へ』NTT出版、2016年）

86) Solow, M. Robert (1956) "A Contribution to the Theory of Economic Growth," *The Quarterly Journal of Economics*, 70, 1, pp.65-94.（「経済成長理論への一寄与」福岡正夫・神谷傳造・川又邦雄訳『資本 成長 技術進歩』に所収、竹内書店新社、1988年）

87) Standing, Guy (2017) *Basic Income*, Penguin Books.（池村千秋訳『ベーシックインカムへの道――正義・自由・安全の社会インフラを実現させるには』プレジデント社、2018年）

60) Isaac son, Walter (2011) *Steve Jobs*, Simon & Schuster. (井口耕二訳『スティーブ・ジョブズ(Ⅰ・Ⅱ)』講談社、2011年)

61) Jünger, Friedrich Georg (1993) *Die Perfektion der Technik*, Vittorio Klostermann. (今井敦・桐原隆弘・中島邦雄監訳、F・G・ユンガー研究会訳『技術の完成』人文書院、2018年)

62) Jones, Eric L. (1987) *The European Miracle: Environments, Economies and Geopolitics in the History of Europe and Asia*, 2nd ed., Cambridge University Press. (安元稔・脇村孝平訳『ヨーロッパの奇跡――環境・経済・地政の比較史』名古屋大学出版会、2000年)

63) ―― (1988) *Growth Recurring: Economic Change in World History (Economics, Cognition, and Society)*, Oxford University Press. (天野雅敏・重富公生・小瀬一・北原聡訳『経済成長の世界史』名古屋大学出版会、2007年)

64) Kahneman, Daniel and Riepe, Mark W. (1998) "Aspects of Investor Psychology," *The Journal of Portfolio Management*, 24 (4), pp.52-65.

65) Keynes, John Maynard (1931) *Essays in Persuasion*, Macmillan. (救仁郷繁訳『説得評論集〔新装版〕』ぺりかん社、1987年)

66) ―― (1936) *The General Theory of Employment, Interest and Money*, Palgrave Macmillan. (間宮陽介訳『雇用、利子および貨幣の一般理論(上・下)』岩波文庫、2008年)

67) Ленин, В. И. (1918) *Государство иреволюция*. (角田安正訳『国家と革命』講談社学術文庫、2011年)

68) Liu, Ken (2017) *Invisible Planets: Contemporary Chinese Science Fiction in Translation*, Head of Zeus. (中原尚哉訳『折りたたみ北京　現代中国SFアンソロジー』早川書房、2018年)

69) Livi Bacci, Massimo (2002) *Storia minima della popolazione del mondo*, Il Mulino. (速水融・斎藤修訳『人口の世界史』東洋経済新報社、2014年)

70) Malthus, Robert T. (1820) *Principles of Political Economy Considered with a View to Their Practical Application*, John Murray. (小林時三郎訳『経済学原理(上・下)』岩波文庫、1968年)

71) Marx, Karl and Engels, Friedrich (1848) *Das Kommunistische Manifest*, J. H. W. Dietz. (大内兵衛・向坂逸郎訳『共産党宣言』岩波文庫、1951年)

72) Michaux, Henri (1956) *Misérable Miracle*, Éditions du Rocher. (小海永二訳『みじめな奇蹟』国文社、1969年)

73) Mielants, Eric H. (2007) *The Origins of Capitalism and the "Rise of the West,"* Temple University Press. (山下範久訳『資本主義の起源と「西洋の勃興」』藤原書店、2011年)

74) Miller, Henry (1939) *Hamlet*, Carrefour.

46) —— (2016) *The Rise and Fall of American Growth: The U.S. Standard of Living Since the Civil War*, Princeton University Press.（高遠裕子・山岡由美訳『アメリカ経済 成長の終焉（上・下）』日経BP、2018年）

47) Hanson, Robin (2016) *The Age of EM: Work, Love and Life when Robots Rule the Earth*, Oxford University Press.（小坂恵理訳『全脳エミュレーションの時代——人工超知能EMが支配する世界の全貌（上・下）』NTT出版、2018年）

48) Harari, Yuval N. (2015) *Sapiens: A Brief History of Humankind*, Harper.（柴田裕之訳『サピエンス全史——文明の構造と人類の幸福（上・下）』河出書房新社、2016年）

49) —— (2016) *Homo Deus: A Brief History of Tomorrow*, Harvill Secker.（柴田裕之訳『ホモ・デウス——テクノロジーとサピエンスの未来（上・下）』河出書房新社、2018年）

50) Haraway, Donna Jeanne (1991) *Simians, Cyborgs, and Women: The Reinvention of Nature*, Routledge.（高橋さきの訳『猿と女とサイボーグ——自然の再発明』青土社、2017年）

51) Hardt, Michael and Negri, Antonio (2001) *Empire*, Harvard University Press.（水嶋一憲・酒井隆史・浜邦彦・吉田俊実訳『帝国——グローバル化の世界秩序とマルチチュードの可能性』以文社、2003年）

52) —— (2004) *Multitude: War and Democracy in the Age of Empire*, Penguin Books.（幾島幸子訳『マルチチュード——〈帝国〉時代の戦争と民主主義（上・下）』NHK出版、2005年）

53) Hayek, Friedrich (1948) *Individualism and Economic Order*, University of Chicago Press.（嘉治元郎・嘉治佐代訳『ハイエク全集 I-3 個人主義と経済秩序』春秋社、2008年）

54) Heidegger, Martin (1953) *Die Frage nach der Technik*, Grin Verlag Gmbh.（関口浩訳『技術への問い』平凡社ライブラリー、2013年）

55) Heidegger, Martin (1927) *Sein und Zeit*, Max Niemeyer.（中山元訳『存在と時間 1-5』光文社、2015-2018年）

56) Hicks, John Richard (1969) *A Theory of Economic History*, Oxford University Press.（新保博・渡辺文夫訳『経済史の理論』講談社学術文庫、1995年）

57) Howard, Michael (1976) *War in European History*, Oxford University Press.（奥村房夫・奥村大作訳『ヨーロッパ史における戦争』中公文庫、2010年）

58) Howitt, Peter (1994) "Adjusting to Technological Change," *Canadian Journal of Economics*, 27 (4), pp.763-775.（岡村宗二・北村宏隆・齊藤誠編訳『新地平のマクロ経済学——ケインズとシュムペーターの再考』勁草書房、1996年）

59) Huxley, Aldous (1954) *The Doors of Perception*, Chatto & Windus.（河村錠一郎訳『知覚の扉』平凡社ライブラリー、1995年）

American Economic Review, American Economic Association, 86 (2), pp.197-201.

32) —— (2005) "The First Industrial Revolution: Resolving the Slow Growth/Rapid Industrialization Paradox," *Journal of the European Economic Association*, MIT Press, 3 (2-3), pp.525-534.

33) Crosby, Alfred W. (1997) *The Measure of Reality*, Cambridge University Press.（小沢千重子訳『数量化革命——ヨーロッパ覇権をもたらした世界観の誕生』紀伊國屋書店、2003年）

34) Culp, Andrew (2016) *Dark Deleuze*, University of Minnesota Press.（大山載吉訳『ダーク・ドゥルーズ』河出書房新社、2016年）

35) Deleuze, Gilles and Guattari, Félix (1972) *Anti-Oedipus*, Les Éditions de Minuit.（宇野邦一訳『アンチ・オイディプス——資本主義と分裂症（上・下）』河出文庫、2006年）

36) ——(1980) *Mille Plateaux*, Les Éditions de Minuit.（宇野邦一・小沢秋広・田中敏彦・豊崎光一・宮林寛・守中高明訳『千のプラトー——資本主義と分裂症（上・中・下）』河出文庫、2010年）

37) Deleuze, Gilles (1986) *Foucault*, Les Éditions de Minuit.（宇野邦一訳『フーコー』河出文庫、2007年）

38) ——(2003) *Pourparlers 1972-1990*, Les Éditions de Minuit.（宮林寛訳『記号と事件——1972－1990年の対話』河出文庫、2007年）

39) Diamond, Jared (1997) *Guns, Germs, and Steel: the Fates of Human Societies*, W. W. Norton.（倉骨彰訳『銃・病原菌・鉄——一万三〇〇〇年にわたる人類史の謎（上・下）』草思社文庫、2012年）

40) Dreyfus, Hubert Lederer (1972) *What Computers Can't Do: The Limits of Artificial Intelligence*, Harper&Row.（黒崎政男・村若修訳『コンピュータには何ができないか』産業図書、1992年）

41) Ford, Martin (2015) *Rise of the Robots: Technology and the Threat of a Jobless Future*, BasicBooks.（松本剛史訳『ロボットの脅威——人の仕事がなくなる日』日本経済新聞出版社、2015年）

42) Foucault, Michel (1966) *Les mots et les choses: Une archéologie des sciences humaines*, Gallimard.（渡辺一民・佐々木明訳『言葉と物——人文科学の考古学』新潮社、1974年）

43) Gandhi, Mohandas Karamchand (1938) *Hind Swaraj or Indian Home Rule*, Navajivan Publishing. House.（田中敏雄訳『真の独立への道』岩波文庫、2001年）

44) Gordon, Robert, J. (1999) "U.S. Economic Growth since 1870: One Big Wave?" *American Economic Review*, 89 (2), pp.123-128.

45) —(2000) "Does the "New Economy" Measure Up to the Great Inventions of the Past?" *Journal of Economic Perspectives*, 14 (4), pp.49-74.

Works, and What It Can Do, W. W. Norton & Company.（倉田幸信訳『VRは脳をどう変えるか?――仮想現実の心理学』文藝春秋、2018年）

19） Barbrook, Richard and Cameron, Andy（1995）“The Californian Ideology,”（http://www.metamute.org/editorial/articles/californian-ideology）（篠儀直子訳「カリフォルニアン・イデオロギー」『10＋1 No.13』LIXIL出版、1998年）

20） Beck, Ulrich（1986）*Risikogesellschaft Auf dem Weg in eine andere Moderne*, Suhrkamp.（東廉・伊藤美登里訳『危険社会――新しい近代への道』法政大学出版局、1998年）

21） Braudel, Fernand（1985）*La dynamique du capitalisme*, Arthaud.（金塚貞文訳『歴史入門』中公文庫、2009年）

22） Bregman, Rutger（2016）*Utopia for Realists*, De Correspondent.（野中香方子訳『隷属なき道――AIとの競争に勝つベーシックインカムと一日三時間労働』文藝春秋、2017年）

23） Brynjolfsson, Erik and McAfee, Andrew（2011）*Race Against the Machine: How the Digital Revolution Is Accelerating Innovation, Driving Productivity, and Irreversibly Transforming Employment and the Economy*, Lightning Source Inc.（村井章子訳『機械との競争』日経BP、2013年）

24） Brynjolfsson, Erik and McAfee, Andrew（2014）*The Second Machine Age: Work, Progress, and Prosperity in a Time of Brilliant Technologies*, W. W. Norton & Company.（村井章子訳『ザ・セカンド・マシン・エイジ』日経BP、2015年）

25） Carr, Nicholas（2014）*The Glass Cage: Automation and Us*, W. W. Norton & Company.（篠儀直子訳『オートメーション・バカ――先端技術がわたしたちにしていること』青土社、2014年）

26） 陳凱歌（1990）『私の紅衛兵時代――ある映画監督の青春』（刈間文俊訳）講談社現代新書

27） Cohen, Daniel（2015）*Le monde est clos et le désir infini*, Albin Michel.（林昌宏訳『経済成長という呪い』東洋経済新報社、2017年）

28） Cohen, Scott A. and Hopkins, Debbie（2019）“Autonomous vehicles and the future of urban tourism” *Annals of Tourism Research*, 74, pp.33-42.

29） Cowen, Tyler（2013）*Average Is Over: Powering America Beyond the Age of the Great Stagnation*, Dutton Adult.（池村千秋訳『大格差――機械の知能は仕事と所得をどう変えるか』NTT出版、2014年）

30） Crafts, Nicholas（1994）“The Industrial Revolution” In *The Economic History of Britain since 1700, Vol. 1*, edited by Roderick Floud and Donald McCloskey, Cambridge University Press.

31） ――（1996）“The First Industrial Revolution: A Guided Tour for Growth Economists,”

参考文献

(引用文献と注釈に書かれた文献のみのリスト。本文中で言及しただけの文献は割愛)

1) 東浩紀(2017)『ゲンロン0 観光客の哲学』ゲンロン
2) 金子光晴(1955)『詩集 非情』新潮社
3) 絓秀実・福田和也・柄谷行人(2002)「共同討議アナーキズムと右翼」『批評空間』Ⅲ—4
4) M・K・ガンジー、田畑健編集(1999)『ガンジー 自立の思想——自分の手で紡ぐ未来』(片山佳代子訳)地湧社
5) 千葉雅也(2013)『動きすぎてはいけない——ジル・ドゥルーズと生成変化の哲学』河出書房新社
6) 塚原史(1994)『言葉のアヴァンギャルド——ダダと未来派の二〇世紀』講談社現代新書
7) 内藤湖南(2004)『東洋文化史』中公クラシックス
8) 西川長夫(2011)『パリ五月革命私論——転換点としての68年』平凡社新書
9) 日塔史(2016、2017)「スマホの次はヒアラブル! No.1—4」電通報(https://dentsu-ho.com/booklets/237)
10) 福田和也(2004)『イデオロギーズ』新潮社
11) S・ブラギンスキー、V・シュヴィドコー(1991)『ソ連経済の歴史的転換はなるか』講談社現代新書
12) 宮台真司(2008)『〈世界〉はそもそもデタラメである』メディアファクトリー
13) 李智慧(2018)『チャイナ・イノベーション——データを制する者は世界を制する』日経BP
14) Acemoglu, Daron and Robinson, James A. (2012) *Why nations fail: the origins of power, prosperity and poverty*, Crown Publishers.
(鬼澤忍訳『国家はなぜ衰退するのか——権力・繁栄・貧困の起源(上・下)』早川書房、2013年)
15) Aghion, Philippe and Howitt, Peter (1994) "Growth and Unemployment," *Review of Economic Studies*, 61 (3), pp.477-494.
16) Arrighi, Giovanni and Hopkins, Terence K. and Wallerstein, Immanuel (1989) *Antisystemic Movements*, Verso. (太田仁樹訳『反システム運動』大村書店、1998年)
17) Avent, Ryan (2016) *The Wealth of Humans*, St Martins Pr (月谷真紀訳『デジタルエコノミーはいかにして道を誤るか』東洋経済新報社、2017年)
18) Bailenson, Jeremy (2018) *Experience on Demand: What Virtual Reality Is, How It*

本書は、2019年5月に弊社から発行した
同名書を文庫化したものです。

日経ビジネス人文庫

純粋《じゅんすい》機械化《きかいか》経済《けいざい》 下《げ》
頭脳資本主義《ずのうしほんしゅぎ》と日本《にほん》の没落《ぼつらく》

2022年2月1日 第1刷発行

著者
井上智洋
いのうえ・ともひろ

発行者
白石 賢

発行
日経BP
日本経済新聞出版本部

発売
日経BPマーケティング
〒105-8308 東京都港区虎ノ門4-3-12

ブックデザイン
新井大輔

本文DTP
マーリンクレイン

印刷・製本
中央精版印刷

Printed in Japan ISBN978-4-532-24020-2

nbb 好評既刊

30の発明からよむ世界史

池内 了＝監修
造事務所＝編著

酒、文字、車輪、飛行機、半導体……私たちの身の回りのものにはすべて歴史がある。原始から現代までを30のモノでたどる面白世界史。

30の発明からよむ日本史

池内 了＝監修
造事務所＝編著

日本は創造と工夫の国だった！ 縄文土器、畳、醤油から、カラオケ、胃カメラ、青色発光ダイオードまで、30のモノとコトでたどる面白日本史。

30の戦いからよむ世界史 上・下

関 眞興

歴史を紐解けば、時代の転換期には必ず大きな戦いが起こっている。元世界史講師のやさしい解説で、世界の流れが驚くほど身につく一冊。

30の「王」からよむ世界史

本村凌二＝監修
造事務所＝編著

復讐の連鎖をやめさせたハンムラビ王から悲運の君主ニコライ2世まで、世界史を読み解く上で外せない30人の生き様や功績を紹介。

30の都市からよむ世界史

神野正史＝監修
造事務所＝編著

「世界の中心」はなぜ変わっていったのか？ バビロンからニューヨークまで古今東西30の都市を「栄えた年代順」にたどる面白世界史。

nbb 好評既刊

24の「神話」からよむ宗教

中村圭志

なぜ神々は傍若無人に振る舞うのか？　なぜ神は人間に苦難をもたらすのか……さまざまな神話を切り口に、宗教の歴史と今をやさしく解説。

10の「感染症」からよむ世界史

脇村孝平＝監修
造事務所＝編著

ペスト、天然痘、インフルエンザ等、世界史を変えた10の感染症に着目。その蔓延と収束、社会経済にもたらした影響まで解説する。

ライバル国からよむ世界史

関 眞興

隣国同士はなぜ仲が悪いのか。中東紛争からロシアのウクライナ侵攻、日韓関係まで、代表的な20の事象から世界情勢をやさしく紐解く。

京大医学部で教える合理的思考

中山健夫

まずは根拠に当たる、数字は分母から考える――。京大医学部教授がEBM（根拠に基づく医療）研究の最前線から、合理的な思考術を指南。

CASE革命

中西孝樹

接続、自動運転、シェアリング、電動化――自動車産業の未来を左右する4つの巨大な潮流「CASE」。最新データ、予測に基づき徹底解説。

nbb 好評既刊

昨日までの世界 上下

ジャレド・ダイアモンド
倉骨 彰＝訳

世界的大ベストセラー『銃・病原菌・鉄』の著者が、身近なテーマから人類史の壮大な謎を解き明かす。超話題作、待望の文庫化！

危機と人類 上下

ジャレド・ダイアモンド
小川敏子・川上純子＝訳

遠くない過去の人類史から何を学び、どう将来の危機に備えるか――。近現代における7カ国の事例を基に解決への道筋を提案する。

経済学の宇宙

岩井克人＝著
前田裕之＝聞き手

経済を多角的にとらえてきた経済学者が、誰にどのような影響を受け、新たな理論に踏み出したのかを、縦横無尽に語りつくす知的興奮の書。

引き算する勇気

岩崎邦彦

アップルもスターバックスも無印良品も「引き算」で大きくなった。資源が限られた小さな会社や地域のための、個性を輝かせる方法を解説。

経済と人間の旅

宇沢弘文

弱者への思いから新古典派経済学に反旗を翻し、人間の幸福とは何かを追求し続けた行動する経済学者・宇沢弘文の唯一の自伝。

nbb 好評既刊

食糧と人類

ルース・ドフリース
小川敏子＝訳

人類は創意工夫と科学力によって、食料不足を何度も乗り越えてきた。「繁栄の歯車」は永遠に回り続けるのか。21世紀の食糧危機を見通す文明史。

国家戦略の本質

戸部良一
寺本義也
野中郁次郎
＝編著

サッチャー、中曽根、鄧小平——。歴史的大転換期のリーダーたちは、苦境をどのように克服したのか。国家を動かす大戦略を解明する力作。

ケインズ 説得論集

ジョン・メイナード・ケインズ
山岡洋一＝訳

第一次大戦後のイギリス。政府の施策は誤った考え、悲観論を蔓延させた。情勢を見極め、正しい認識へ導くべく論陣を張った珠玉の経済時論。

社会人のためのやりなおし経済学

木暮太一

やさしい解説に定評のある著者が、むずかしい数式を一切使わずに経済学の理論を語る！ 大学で習う経済学が一日でわかる驚きの解説書。

超入門 資本論

木暮太一

20世紀以降の世界に影響を与えたマルクスの名著『資本論』のエッセンスを身近な話題から解説。難解な経済理論が楽しくわかる超訳本。

nbb 好評既刊

ブロックチェーン革命［新版］
野口悠紀雄

情報経済論の第一人者がDX時代の基盤技術、ブロックチェーンの全容を基本から応用、展望までわかりやすく解説します。

戦略の本質
野中郁次郎・戸部良一
鎌田伸一・寺本義也
杉之尾宜生・村井友秀

戦局を逆転させるリーダーシップとは？　世界史を変えた戦争を事例に、戦略の本質を戦略論、組織論のアプローチで解き明かす意欲作。

人工知能が変える仕事の未来［新版］
野村直之

AIをビジネスにどう活かせるのか――。AIに精通する著者が、多様な観点から平易に語る。「本当のAI」を知るための決定版！

なぜ大国は衰退するのか
グレン・ハバード
ティム・ケイン
久保恵美子＝訳

日本は没落の危機を克服できるか？　古代ローマから現代まで、最新の経済学をもとに経済的不均衡が文明を崩壊させることを解き明かす。

戦略の世界史　上・下
ローレンス・フリードマン
貫井佳子＝訳

神話、戦争、さまざまな軍事戦略から、革命、政治、ビジネス、社会科学理論まで、「戦略」の変遷と意義を広大な視野のもとに説き明かす。

nbb 好評既刊

〔現代語訳〕孫子

杉之尾宜生＝編著

不朽の戦略書『孫子』を軍事戦略研究家が翻訳した決定版。軍事に関心を持つ読者も満足する訳注と重厚な解説を加えた現代人必読の書。

増補版 遊牧民から見た世界史

杉山正明

スキタイ、匈奴、テュルク、ウイグル、モンゴル帝国……遊牧民の視点で人類史を描き直す、ロングセラー文庫の増補版。

良い値決め 悪い値決め

田中靖浩

会計とマーケティング、行動経済学の知見をもとに、顧客に喜ばれながら、しっかりと稼ぐ方法を教えます。元気の出るプライシング入門。

大局観

出口治明

辺境をつくり、辺境に出でよ。人間は動物であることを知れ——。60歳でネット生命保険業を立ち上げた風雲児が語る、大局観を養う方法。

経営の失敗学

菅野 寛

経営に必勝法はないが、失敗は回避できる。負けないための戦略、成功確率を上げる方法とは——BCG出身の経営学者による経営指南書。